개념＋유형
PLUS
최상위 유형 탑

Top Book

3·2

구성과 특징

기본 실력 점검

STEP 1 핵심 개념과 문제

상위권 실력 향상

STEP 2 상위권 문제

Top Book

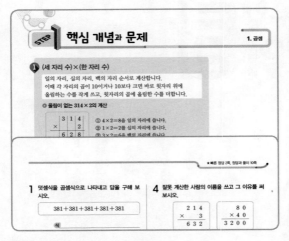

[핵심 개념]

핵심 교과 개념을 보기 쉽게 정리

교과 개념과 연계된 상위 개념까지 빠짐없이 정리

[핵심 문제]

개념 이해를 점검할 수 있는 필수 문제로 구성

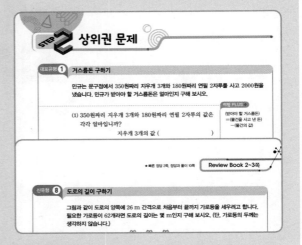

[대표유형]

단원의 대표 문제를 단계별로 풀 수 있도록 구성

[유제]

대표유형의 유사 문제로 연습할 수 있도록 구성

[신유형]

생활 속에서 찾을 수 있는 흥미로운 문제로 구성

|복습| 상위권 문제

Review Book

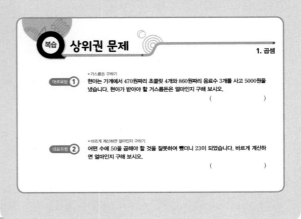

상위권 실력 완성

STEP 3 상위권 문제 확인과 응용

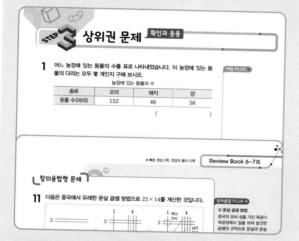

[확인]

대표유형 문제를 잘 익혔는지 확인할 수 있도록 구성

[응용]

대표유형 문제를 잘 익혀서 풀 수 있는 응용 문제로 구성

[창의융합형 문제]

타 과목과 융합된 문제로 구성

흥미 있는 소재의 문제로 구성

최상위권 완전 정복

STEP 4 최상위권 문제

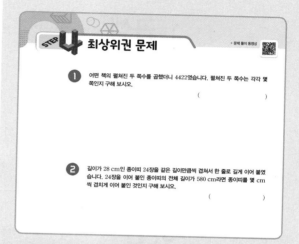

[최상위권 문제]

종합적 사고력을 기를 수 있는 문제로 구성

최상위권을 정복할 수 있는 최고난도 문제로 구성

| 복습 | 상위권 문제 확인과 응용

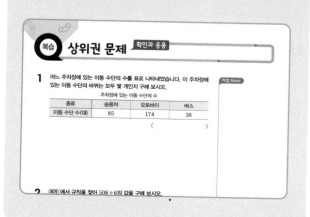

| 복습 | 최상위권 문제

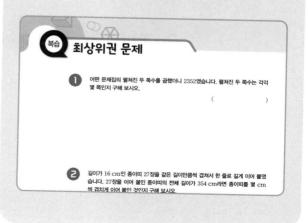

개념 유형 최상위 탑

차례

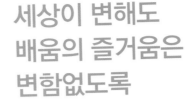

세상이 변해도
배움의 즐거움은
변함없도록

시대는 빠르게 변해도
배움의 즐거움은
변함없어야 하기에

어제의 비상은
남다른 교재부터
결이 다른 콘텐츠
전에 없던 교육 플랫폼까지

변함없는 혁신으로
교육 문화 환경의 새로운 전형을
실현해왔습니다.

비상은 오늘, 다시 한번
새로운 교육 문화 환경을 실현하기 위한
또 하나의 혁신을 시작합니다.

오늘의 내가 어제의 나를 초월하고
오늘의 교육이 어제의 교육을 초월하여
배움의 즐거움을 지속하는 혁신,

바로, 메타인지학습을.

상상을 실현하는 교육 문화 기업 비상

메타인지학습

초월을 뜻하는 meta와 생각을 뜻하는 인지가 결합된 메타인지는
자신이 알고 모르는 것을 스스로 구분하고 학습계획을 세우도록 하는
궁극의 학습 능력입니다. 비상의 메타인지학습은 메타인지를 키워주어
공부를 100% 내 것으로 만들도록 합니다.

1

곱셈

❶ (세 자리 수) × (한 자리 수)

일의 자리, 십의 자리, 백의 자리 순서로 계산합니다.
이때 각 자리의 곱이 10이거나 10보다 크면 바로 윗자리 위에
올림하는 수를 작게 쓰고, 윗자리의 곱에 올림한 수를 더합니다.

◉ **올림이 없는 314 × 2의 계산**

$$
\begin{array}{ccc}
 & 3 & 1 & 4 \\
\times & & & 2 \\
\hline
6 & 2 & 8 \\
③ & ② & ①
\end{array}
$$

① $4 \times 2 = 8$을 일의 자리에 씁니다.
② $1 \times 2 = 2$를 십의 자리에 씁니다.
③ $3 \times 2 = 6$을 백의 자리에 씁니다.

◉ **십, 백의 자리에서 올림이 있는 472 × 3의 계산**

$$
\begin{array}{cccc}
 & & 2 & \\
 & 4 & 7 & 2 \\
\times & & & 3 \\
\hline
1 & 4 & 1 & 6 \\
 & ③ & ② & ①
\end{array}
$$

① $2 \times 3 = 6$을 일의 자리에 씁니다.
② $7 \times 3 = 21$에서 2를 백의 자리로 올림하고 1을 십의 자리에 씁니다.
③ $4 \times 3 = 12$에 올림한 수 2를 더하여 1을 천의 자리에 쓰고 4를 백의 자리에 씁니다.

❷ (몇십) × (몇십), (몇십몇) × (몇십)

◉ **(몇십) × (몇십)**

• 30×20의 계산

방법1 30에 2를 먼저 곱한 다음 10을 곱하기

$$
\begin{aligned}
30 \times 20 &= 30 \times 2 \times 10 \\
&= 60 \times 10 \\
&= 600
\end{aligned}
$$

방법2 3과 2를 먼저 곱한 다음 10을 두 번 곱하기

$$
\begin{array}{ccc}
 & 3 & 0 \\
\times & 2 & 0 \\
\hline
6 & 0 & 0
\end{array}
$$

◉ **(몇십몇) × (몇십)**

• 13×20의 계산

방법1 13에 10을 먼저 곱한 다음 2를 곱하기

$$
\begin{aligned}
13 \times 20 &= 13 \times 10 \times 2 \\
&= 130 \times 2 \\
&= 260
\end{aligned}
$$

방법2 13에 2를 먼저 곱한 다음 10을 곱하기

$$
\begin{aligned}
13 \times 20 &= 13 \times 2 \times 10 \\
&= 26 \times 10 \\
&= 260
\end{aligned}
$$

초 4-1 연계

✱ **(몇백) × (몇십)**
(몇) × (몇)을 계산한 값에 곱하는 두 수의 0의 개수만큼 0을 붙입니다.

0이 3개

예 $200 \times 30 = 6000$

$2 \times 3 = 6$

1 덧셈식을 곱셈식으로 나타내고 답을 구해 보시오.

> 381＋381＋381＋381＋381

식 _____

답 _____

2 계산 결과를 비교하여 ○ 안에 ＞, ＝, ＜를 알맞게 써넣으시오.

443×2 ◯ 312×3

3 빈칸에 알맞은 수를 써넣으시오.

4 잘못 계산한 사람의 이름을 쓰고 그 이유를 써 보시오.

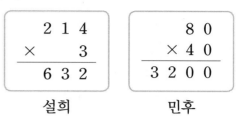

| 2 1 4 |
| × 3 |
| 6 3 2 |
설희

| 8 0 |
| × 4 0 |
| 3 2 0 0 |
민후

답 _____

_____

_____

5 파란색 구슬은 한 봉지에 50개씩 40봉지가 있고, 노란색 구슬은 한 봉지에 20개씩 30봉지가 있습니다. 파란색 구슬과 노란색 구슬은 모두 몇 개 있습니까?

(_____)

6 □ 안에 알맞은 수를 써넣으시오.

```
    3  2  □
  ×        4
  1  3  1  6
```

③ (몇)×(몇십몇)

곱하는 몇십몇을 몇과 몇십으로 나누어 (몇)×(몇)을 계산하고, (몇)×(몇십)을 계산하여 두 곱셈의 계산 결과를 더합니다.

• 7×12의 계산

① 7×2=14에서 1을 십의 자리로 올림하고 4를 일의 자리에 씁니다.
② 7×1=7에 올림한 수 1을 더하여 8을 십의 자리에 씁니다.

④ (몇십몇)×(몇십몇)

곱하는 몇십몇을 몇과 몇십으로 나누어 (몇십몇)×(몇)을 계산하고, (몇십몇)×(몇십)을 계산하여 두 곱셈의 계산 결과를 더합니다.

● 올림이 한 번 있는 42×13의 계산

$$
\begin{array}{cccc}
 & 4 & 2 \\
\times & 1 & 3 \\
\hline
1 & 2 & 6 \\
\end{array}
\Rightarrow
\begin{array}{cccc}
 & 4 & 2 \\
\times & 1 & 3 \\
\hline
1 & 2 & 6 \\
4 & 2 & 0 \\
\end{array}
\Rightarrow
\begin{array}{cccc}
 & 4 & 2 \\
\times & 1 & 3 \\
\hline
1 & 2 & 6 & \cdots 42\times3 \\
4 & 2 & 0 & \cdots 42\times10 \\
\hline
5 & 4 & 6 \\
\end{array}
$$

42×3=126을 자리에 맞게 씁니다.

42×10=420을 자리에 맞게 씁니다.

각 자리의 수를 더합니다.

● 올림이 여러 번 있는 51×38의 계산

$$
\begin{array}{cccc}
 & 5 & 1 \\
\times & 3 & 8 \\
\hline
4 & 0 & 8 \\
\end{array}
\Rightarrow
\begin{array}{cccc}
 & 5 & 1 \\
\times & 3 & 8 \\
\hline
 & 4 & 0 & 8 \\
1 & 5 & 3 & 0 \\
\end{array}
\Rightarrow
\begin{array}{cccc}
 & 5 & 1 \\
\times & 3 & 8 \\
\hline
 & 4 & 0 & 8 & \cdots 51\times8 \\
1 & 5 & 3 & 0 & \cdots 51\times30 \\
\hline
1 & 9 & 3 & 8 \\
\end{array}
$$

51×8=408을 자리에 맞게 씁니다.

51×30=1530을 자리에 맞게 씁니다.

각 자리의 수를 더합니다.

중 1 연계

★ 곱셈의 교환법칙
두 수의 곱셈에서 두 수의 순서를 바꾸어 곱하여도 그 결과는 같습니다.
예 4×2=2×4=8
　　7×12=12×7=84

1 가장 큰 수와 가장 작은 수의 곱을 구해 보시오.

| 42 | 28 | 37 | 13 |

( )

2 잘못된 부분을 찾아서 이유를 쓰고 바르게 계산해 보시오.

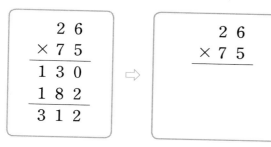

이유 _____

_____

_____

3 빵을 1분에 8개씩 만드는 기계가 있습니다. 이 기계로 17분 동안 만들 수 있는 빵은 모두 몇 개입니까?

( )

4 계산 결과가 가장 작은 것을 찾아 기호를 써 보시오.

㉠ 9×37 ㉡ 8×45 ㉢ 7×53

( )

5 민이네 학교 3학년 학생이 현장 체험 학습을 가려고 15인승 버스 18대에 나누어 탔습니다. 버스마다 3자리씩 비어 있다면 민이네 학교 3학년 학생은 모두 몇 명입니까?

( )

6 수 카드 2, 4, 5, 7을 모두 한 번씩만 사용하여 만들 수 있는 가장 큰 몇십몇과 가장 작은 몇십몇의 곱을 구해 보시오.

( )

상위권 문제

대표유형 1 거스름돈 구하기

민규는 문구점에서 350원짜리 지우개 3개와 180원짜리 연필 2자루를 사고 2000원을 냈습니다. 민규가 받아야 할 거스름돈은 얼마인지 구해 보시오.

비법 PLUS **+**

(받아야 할 거스름돈)
＝(물건을 사고 낸 돈)
　－(물건의 값)

(1) 350원짜리 지우개 3개와 180원짜리 연필 2자루의 값은 각각 얼마입니까?

지우개 3개의 값 (　　　　　　　　)

연필 2자루의 값 (　　　　　　　　)

(2) 민규가 산 물건의 값의 합은 얼마입니까?

(　　　　　　　　)

(3) 민규가 받아야 할 거스름돈은 얼마입니까?

(　　　　　　　　)

유제 1 수진이는 시장에서 65원짜리 구슬 32개와 50원짜리 머리핀 20개를 사고 4000원을 냈습니다. 수진이가 받아야 할 거스름돈은 얼마인지 구해 보시오.

(　　　　　　　　)

유제 2 소정이는 문구점에서 45원짜리 색종이 32장, 120원짜리 연필 7자루, 60원짜리 자석 40개를 사고 5000원을 냈습니다. 소정이가 받아야 할 거스름돈은 얼마인지 구해 보시오.

(　　　　　　　　)

대표유형 4   곱셈식 완성하기

오른쪽 곱셈식에서 ㉠, ㉡, ㉢, ㉣에 알맞은 수를 각각 구해 보시오.

$$
\begin{array}{r}
㉠\ 7 \\
\times\ 4\ ㉡ \\
\hline
1\ 8\ 5 \\
1\ 4\ ㉢\ 0 \\
\hline
1\ ㉣\ 6\ 5
\end{array}
$$

(1) ㉠과 ㉡에 알맞은 수는 각각 얼마입니까?

㉠ (   )

㉡ (   )

(2) ㉢과 ㉣에 알맞은 수는 각각 얼마입니까?

㉢ (   )

㉣ (   )

비법 PLUS ✚

곱하는 수를 몇과 몇십으로 나누어 (몇십몇)×(몇)과 (몇십몇)×(몇십)의 계산 결과를 이용하여 문제를 해결합니다.

유제 7   오른쪽 곱셈식에서 ㉠, ㉡, ㉢, ㉣에 알맞은 수를 각각 구해 보시오.

$$
\begin{array}{r}
4\ 2 \\
\times\ ㉠\ ㉡ \\
\hline
2\ ㉢\ 4 \\
1\ 2\ 6\ 0 \\
\hline
1\ 5\ ㉣\ 4
\end{array}
$$

㉠ (   ), ㉡ (   )

㉢ (   ), ㉣ (   )

유제 8   오른쪽 곱셈식에서 ■, ▲은 서로 다른 숫자입니다. ■, ▲은 각각 얼마인지 구해 보시오. (단, ■은 ▲보다 큽니다.)

$$
\begin{array}{r}
■\ ▲ \\
\times\ ▲\ ■ \\
\hline
1\ 8\ 5\ 5
\end{array}
$$

■ (   ), ▲ (   )

대표유형 5 이어 붙인 종이띠의 전체 길이 구하기

길이가 42 cm인 종이띠 16장을 그림과 같이 4 cm씩 겹쳐서 한 줄로 길게 이어 붙였습니다. 16장을 이어 붙인 종이띠의 전체 길이는 몇 cm인지 구해 보시오.

42 cm   42 cm

4 cm   4 cm   ......

비법 PLUS +

(겹쳐진 부분의 수)
＝(종이띠의 수)−1

(1) 종이띠 16장의 길이의 합은 몇 cm입니까?

(   )

(2) 겹쳐진 부분의 길이의 합은 몇 cm입니까?

(   )

(3) 이어 붙인 종이띠의 전체 길이는 몇 cm입니까?

(   )

• 서술형 문제 •

유제 9 길이가 25 cm인 종이띠 30장을 그림과 같이 6 cm씩 겹쳐서 한 줄로 길게 이어 붙였습니다. 30장을 이어 붙인 종이띠의 전체 길이는 몇 cm인지 풀이 과정을 쓰고 답을 구해 보시오.

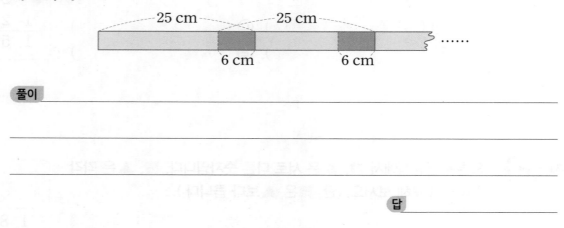

25 cm   25 cm

6 cm   6 cm   ......

풀이 _____

_____

_____

답 _____

대표유형 6 수 카드로 곱셈식을 만들고 계산하기

3장의 수 카드를 모두 한 번씩만 사용하여 곱이 가장 큰 (한 자리 수)×(두 자리 수)의 곱셈식을 만들고 계산해 보시오.

7 4 5

비법 PLUS ✚

(1) 곱이 가장 큰 (한 자리 수)×(두 자리 수)의 곱셈식을 만들려면 한 자리 수에 어떤 숫자를 놓아야 합니까?

( )

(2) 곱이 가장 큰 (한 자리 수)×(두 자리 수)의 곱셈식을 만들려면 두 자리 수는 얼마가 되어야 합니까?

( )

(3) 곱이 가장 큰 (한 자리 수)×(두 자리 수)의 곱셈식을 만들고 계산해 보시오.

( )

• 곱이 가장 큰 곱셈식 만들기
㉠×㉡㉢에서 ㉠, ㉡, ㉢의 순서로 큰 수를 놓을 때 곱이 가장 큰 곱셈식이 됩니다.

• 곱이 가장 작은 곱셈식 만들기
㉠×㉡㉢에서 ㉠, ㉡, ㉢의 순서로 작은 수를 놓을 때 곱이 가장 작은 곱셈식이 됩니다.

유제 10 3장의 수 카드를 모두 한 번씩만 사용하여 곱이 가장 작은 (한 자리 수)×(두 자리 수)의 곱셈식을 만들고 계산해 보시오.

6 2 8

( )

유제 11 4장의 수 카드를 모두 한 번씩만 사용하여 (세 자리 수)×(한 자리 수)의 곱셈식을 만들려고 합니다. 곱이 가장 클 때와 가장 작을 때의 곱셈식을 각각 만들고 계산해 보시오.

5 2 9 3

곱이 가장 클 때 ( )
곱이 가장 작을 때 ( )

대표유형 7 약속에 따라 계산하기

㉮▲㉯를 다음과 같이 약속할 때 126▲8의 값을 구해 보시오.

㉮×㉯=㉢, ㉮−㉯=㉣일 때 ㉮▲㉯=㉢+㉣입니다.

(1) ㉢와 ㉣는 각각 얼마입니까?

㉢ (   )

㉣ (   )

(2) 126▲8의 값은 얼마입니까?

(   )

비법 PLUS +

기호 ▲의 앞의 수와 뒤의 수를 이용하여 ㉢와 ㉣를 구하고 약속에 따라 계산합니다.

$$\underset{㉮}{126}▲\underset{㉯}{8}=\underset{①}{㉢}+\underset{②}{㉣}$$

① $\underset{126}{㉮}×\underset{8}{㉯}=㉢$

② $\underset{126}{㉮}-\underset{8}{㉯}=㉣$

유제 12 ㉮★㉯를 다음과 같이 약속할 때 24★112의 값을 구해 보시오.

㉮×㉮=㉢, ㉯×5=㉣일 때 ㉮★㉯=㉢−㉣입니다.

(   )

유제 13 ㉮◆㉯를 다음과 같이 약속할 때 15◆□=700이라고 합니다. □ 안에 알맞은 수를 구해 보시오.

㉮×20=㉢, ㉯×㉯=㉣일 때 ㉮◆㉯=㉢+㉣입니다.

(   )

신유형 **8**　**도로의 길이 구하기**

그림과 같이 도로의 양쪽에 26 m 간격으로 처음부터 끝까지 가로등을 세우려고 합니다. 필요한 가로등이 62개라면 도로의 길이는 몇 m인지 구해 보시오. (단, 가로등의 두께는 생각하지 않습니다.)

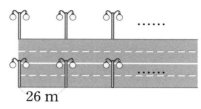

26 m

(1) 도로의 한쪽에 세울 가로등은 몇 개입니까?

(　　　　　　　　)

(2) 도로의 한쪽에 세울 가로등 사이의 간격은 몇 군데입니까?

(　　　　　　　　)

(3) 도로의 길이는 몇 m입니까?

(　　　　　　　　)

신유형 PLUS +

(일정한 간격으로 처음부터 끝까지 가로등을 세운 도로의 길이)
＝(가로등 사이의 간격의 길이)
　×(도로 한쪽의 가로등 사이의 간격 수)

유제 **14**　그림과 같이 정사각형 모양의 꽃밭 둘레에 울타리를 두르기 위해 일정한 간격으로 기둥을 세웠습니다. 네 변 위에 51 cm 간격으로 기둥을 세웠더니 한 변 위에 세운 기둥이 14개가 되었습니다. 네 꼭짓점에는 반드시 기둥을 세웠다고 할 때 이 꽃밭의 네 변의 길이의 합은 몇 cm인지 구해 보시오. (단, 기둥의 두께는 생각하지 않습니다.)

51 cm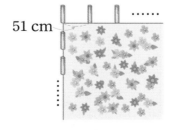

(　　　　　　　　)

1 어느 농장에 있는 동물의 수를 표로 나타내었습니다. 이 농장에 있는 동물의 다리는 모두 몇 개인지 구해 보시오.

농장에 있는 동물의 수

종류	오리	돼지	양
동물 수(마리)	152	46	58

( )

2 보기 에서 규칙을 찾아 715★3의 값을 구해 보시오.

보기

$$12★15=180 \quad 5★32=160 \quad 342★5=1710$$

( )

○ 기호 ★의 앞의 수와 뒤의 수를 이용하여 규칙을 찾아봅니다.

● 서술형 문제 ●

3 10분에 9개씩 과자를 만드는 기계가 있습니다. 이 기계로 하루 동안 만들 수 있는 과자는 모두 몇 개인지 풀이 과정을 쓰고 답을 구해 보시오.

풀이 _____

_____

_____

답 _____

○ 먼저 1시간 동안 만들 수 있는 과자의 수를 구해 봅니다.

4 423에 어떤 수를 곱해야 할 것을 잘못하여 뺐더니 421이 되었습니다. 바르게 계산한 값과 잘못 계산한 값의 합을 구해 보시오.

(   )

비법 PLUS ➕

● 서술형 문제 ●

5 초콜릿을 한 학생에게 24개씩 30명에게 나누어 주면 18개가 남습니다. 이 초콜릿을 한 학생에게 30개씩 30명에게 나누어 주려면 더 준비해야 하는 초콜릿은 적어도 몇 개인지 풀이 과정을 쓰고 답을 구해 보시오.

○ 먼저 전체 초콜릿의 수를 구해 봅니다.

풀이 _____

_____

_____

답 _____

6 1부터 9까지의 수 중에서 ☐ 안에 공통으로 들어갈 수 있는 수를 구해 보시오.

> • ☐ × 45 < 272
> • 47 × 30 < 253 × ☐

(   )

7 4장의 수 카드를 모두 한 번씩만 사용하여 (두 자리 수)×(두 자리 수)의 곱셈식을 만들려고 합니다. 곱이 가장 클 때와 가장 작을 때의 **차**를 구해 보시오.

$$4 \quad 8 \quad 6 \quad 3$$

(   )

비법 PLUS ➕

○ 곱이 가장 클 때와 가장 작을 때 곱하는 두 수의 십의 자리에 어떤 수가 와야 하는지 생각해 봅니다.

8 조건 을 모두 만족하는 두 수의 곱을 구해 보시오.

조건
• 두 수의 차는 12입니다.
• 두 수의 합은 82입니다.

(   )

9 오른쪽과 같이 정사각형의 네 변 위에 일정한 간격으로 점을 찍으려고 합니다. 한 변에 108개씩 점을 찍으려면 점을 모두 몇 개 찍어야 하는지 구해 보시오. (단, 네 꼭 짓점에는 반드시 점을 찍습니다.)

(   )

10 일정한 빠르기로 서로 맞물려 돌아가는 2개의 톱니바퀴가 있습니다. 큰 톱니바퀴가 1번 돌아갈 때 작은 톱니바퀴는 4번 돌아갑니다. 큰 톱니바퀴 가 1분에 5번 돈다면 작은 톱니바퀴는 1시간 25분 동안 몇 번 돌게 되는 지 구해 보시오.

(   )

창의융합형 문제

11 다음은 중국에서 유래한 문살 곱셈 방법으로 23×14를 계산한 것입니다.

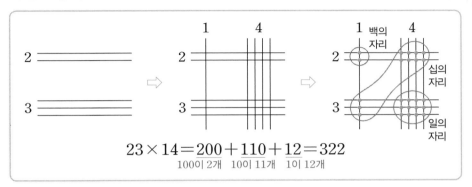

$$23 \times 14 = 200 + 110 + 12 = 322$$
100이 2개   10이 11개   1이 12개

문살 곱셈 방법으로 34×13을 계산해 보시오.

(   )

12 한국 전쟁은 1950년 6월 25일 새벽에 북한군의 공격으로 일어난 전쟁으로 1953년 7월 27일에 휴전이 이루어져 휴전선을 확정하였습니다. 한국 전쟁이 시작되어 휴전이 되기까지의 기간은 며칠인지 구해 보시오. (단, 1952년은 2월이 29일까지 있는 윤년입니다.)

▲ 한국 전쟁 당시의 모습

(   )

창의융합 PLUS ➕

○ 문살 곱셈 방법
중국의 모씨 성을 가진 목공이 목공장에서 일을 하며 발견한 곱셈의 규칙으로 문살과 문살이 만나는 점을 이용해 만든 곱셈 방법입니다.

○ 휴전선
유엔군 측과 공산군 측이 합의한 '한국 군사 정전 협정'에 의해 육상에 그어진 선으로 군사 분계선이라고도 합니다.

1 어떤 책의 펼쳐진 두 쪽수를 곱했더니 4422였습니다. 펼쳐진 두 쪽수는 각각 몇 쪽인지 구해 보시오.

(   )

2 길이가 28 cm인 종이띠 24장을 같은 길이만큼씩 겹쳐서 한 줄로 길게 이어 붙였습니다. 24장을 이어 붙인 종이띠의 전체 길이가 580 cm라면 종이띠를 몇 cm씩 겹치게 이어 붙인 것인지 구해 보시오.

(   )

3 1부터 4까지의 수를 모두 한 번씩만 사용하여 (세 자리 수)×(한 자리 수) 또는 (두 자리 수)×(두 자리 수)의 곱을 구하려고 합니다. 곱이 가장 클 때와 가장 작을 때의 차를 구해 보시오.

(   )

4 긴 나무 한 개를 17도막으로 자르려고 합니다. 나무를 한 번 자르는 데 5분이 걸리고 한 번 자른 후에는 3분 동안 쉰 다음 다시 자릅니다. 이 나무를 모두 자르는 데 걸리는 시간은 몇 분인지 구해 보시오.

( )

5 길이가 150 m인 열차가 1분에 984 m씩 가고 있습니다. 이 열차가 다리를 완전히 통과하는 데 3분이 걸렸다면 다리의 길이는 몇 m인지 구해 보시오.

( )

6 어떤 세 자리 수의 백의 자리 숫자와 일의 자리 숫자를 바꾸어 7을 곱했더니 3801이 되었습니다. 처음 세 자리 수를 구해 보시오.

( )

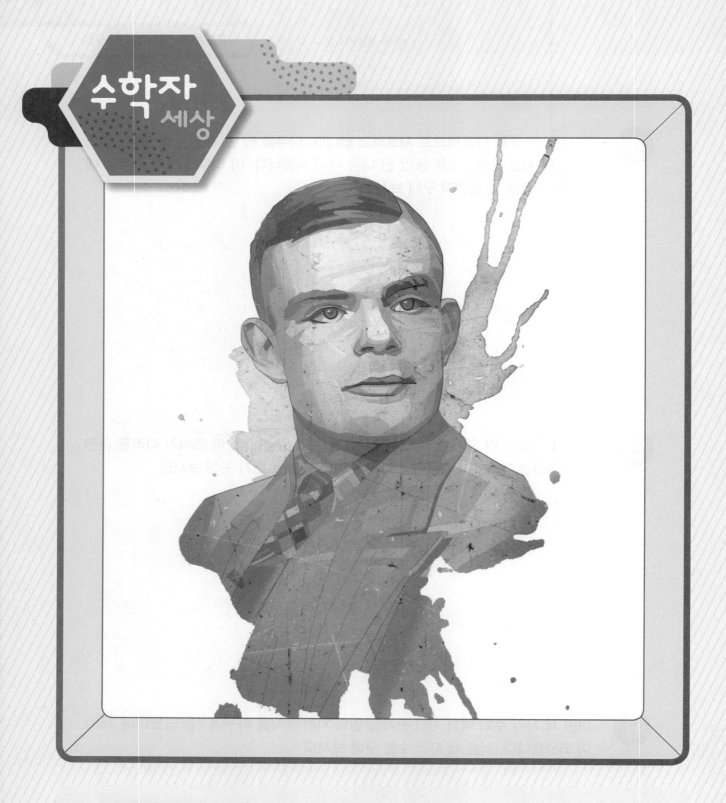

앨런 튜링 (Alan Turing)

- **출생~사망:** 1912~1954
- **국적:** 영국
- **업적:** 영국의 수학자이자 논리학자입니다. 계산기가 어디까지 논리적으로 작동할 수 있는지 처음으로 실험을 시도한 학자로 유명하며 컴퓨터 공학 및 정보 공학의 이론적 토대를 마련하였습니다.

2

나눗셈

1 (몇십)÷(몇)

초 4-1 연계

★ 몇십으로 나누기

●■0÷▲0의 몫은 ●■÷▲의 몫과 같습니다.

예 160÷20의 계산

160÷20=8

16÷2=8

● 내림이 없는 **60÷3**의 계산

(몇)÷(몇)을 계산한 값에 0을 1개 씁니다.

$$6÷3=2 \Rightarrow 60÷3=20$$

● 내림이 있는 **50÷2**의 계산

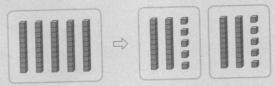

십 모형 5개를 똑같이 2묶음으로 나누면 한 묶음에 십 모형이 2개, 일 모형이 5개씩 있습니다. ⇨ 50÷2=25

2 (몇십몇)÷(몇)

● 나눗셈식을 세로로 쓰는 방법

$$42÷2=21 \Rightarrow$$

$$\begin{array}{r} 2\,1 \leftarrow 몫 \\ 2)\overline{4\,2} \end{array}$$

몫

나누는 수

$$\begin{array}{r} 2\,1 \leftarrow 몫 \\ 2)\overline{4\,2} \leftarrow 나누어지는 수 \end{array}$$

● 내림이 없는 **42÷2**의 계산

십의 자리부터 계산합니다.

$$\begin{array}{r} 2\,1 \\ 2)\overline{4\,2} \\ \underline{4} \\ 2 \\ \underline{2} \\ 0 \end{array}$$

● 내림이 있는 **45÷3**의 계산

십의 자리부터 계산합니다. 이때 십의 자리를 계산하고 남은 수는 일의 자리에서 계산합니다.

$$\begin{array}{r} 1\,5 \\ 3)\overline{4\,5} \\ \underline{3} \\ 1\,5 \\ \underline{1\,5} \\ 0 \end{array}$$

1 몫의 크기를 비교하여 ○ 안에 >, =, <를 알맞게 써넣으시오.

$$80 \div 4 \bigcirc 90 \div 3$$

2 두 나눗셈의 몫의 합을 구해 보시오.

$60 \div 5$	$70 \div 5$

(   )

3 귤 40개를 2명이 똑같이 나누어 가지려고 합니다. 한 명이 몇 개씩 가지면 됩니까?

(   )

4 동물원에 가기 위해 학생 75명이 버스 5대에 똑같이 나누어 타려고 합니다. 한 대에 몇 명씩 탈 수 있습니까?

(   )

5 딸기 맛 사탕 28개와 포도 맛 사탕 32개가 있습니다. 사탕을 종류에 관계없이 한 명에게 4개씩 주면 몇 명에게 나누어 줄 수 있습니까?

(   )

6 네 변의 길이의 합이 48 cm인 정사각형의 한 변은 몇 cm입니까?

(   )

3 나머지가 있는 (몇십몇)÷(몇)

○ 내림이 없는 16÷5의 계산

• 16을 5로 나누면 몫은 3이고 1이 남습니다.
이때 1을 16÷5의 나머지라고 합니다.

$$16÷5=3\cdots1$$

• 나머지가 없으면 나머지가 0이라고 말할 수 있습니다.
나머지가 0일 때, 나누어떨어진다고 합니다.

$$\begin{array}{r} 3 \leftarrow 몫 \\ 5{\overline{\smash{\big)}\,16}} \leftarrow 나누어지는 수 \\ \underline{15} \\ 1 \leftarrow 나머지 \end{array}$$

나누는 수 →

○ 내림이 있는 58÷4의 계산

> 십의 자리부터 계산합니다. 이때 십의 자리를 계산하고 남은 수는 일의 자리에서 계산합니다.

$$\begin{array}{r} 14 \\ 4{\overline{\smash{\big)}\,58}} \\ \underline{4} \\ 18 \\ \underline{16} \\ 2 \end{array}$$

4 (세 자리 수)÷(한 자리 수)

○ 나머지가 있는 236÷3의 계산

> 백의 자리부터 계산합니다. 이때 백의 자리에서 나눌 수 없으면 십의 자리에서 계산하고, 남은 수는 일의 자리에서 계산합니다.

$$\begin{array}{r} 78 \\ 3{\overline{\smash{\big)}\,236}} \\ \underline{21} \\ 26 \\ \underline{24} \\ 2 \end{array}$$

5 맞게 계산했는지 확인하기

> 나누는 수와 몫의 곱에 나머지를 더하면 나누어지는 수가 되어야 합니다.

$$30÷4=7\cdots2$$

확인▶ $4×7=28$ ➡ $28+2=30$

개념 PLUS+

★ (세 자리 수)÷(한 자리 수)의
몫의 자릿수 알아보기

$$★{\overline{\smash{\big)}\,■▲●}}$$

• ★ > ■
⇨ 몫은 두 자리 수
• ★ = ■ 또는 ★ < ■
⇨ 몫은 세 자리 수

초 4-1 연계 ↻

★ (세 자리 수)÷(두 자리 수)
세 자리 수 중 왼쪽 두 자리 수부터 먼저 나누고, 남은 나머지와 일의 자리 수를 더하여 다시 나눕니다.

예 396÷23의 계산

$$\begin{array}{r} 17 \\ 23{\overline{\smash{\big)}\,396}} \\ \underline{23} \\ 166 \\ \underline{161} \\ 5 \end{array}$$

1 나머지가 가장 큰 것을 찾아 기호를 써 보시오.

> ㉠ $26 \div 3$　　㉡ $15 \div 4$
> ㉢ $39 \div 5$　　㉣ $43 \div 6$

(　　　　　　)

2 잘못 계산한 곳을 찾아 바르게 계산해 보시오.

```
      1 9 6
  4 ) 9 2 4
      4
      5 2
      3 6
      1 6 4
        2 4
      1 4 0
```
⇨
```
  4 ) 9 2 4
```

3 색종이가 한 묶음에 7장씩 9묶음 있습니다. 미술 시간에 한 명이 색종이를 5장씩 사용한다면 몇 명이 사용할 수 있고, 몇 장이 남습니까?

(　　　　 , 　　　　)

4 귤 185개를 4상자에 똑같이 나누어 담으려고 합니다. 한 상자에 귤을 몇 개씩 담을 수 있고, 몇 개가 남습니까?

(　　　　 , 　　　　)

5 나눗셈을 하고 맞게 계산했는지 확인한 식이 보기 와 같습니다. 계산한 나눗셈식을 쓰고 몫과 나머지를 각각 구해 보시오. (단, 나누는 수는 한 자리 수입니다.)

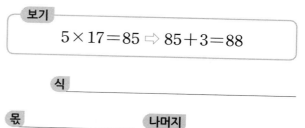

> **보기**
>
> $5 \times 17 = 85 \Rightarrow 85 + 3 = 88$

식 _____

몫 _____ 나머지 _____

6 어떤 수를 7로 나누었더니 몫이 8, 나머지가 3이 되었습니다. 어떤 수는 얼마입니까?

(　　　　　　)

STEP 2 상위권 문제

대표유형 1 조건을 만족하는 수 구하기

70보다 크고 80보다 작은 <u>자연수</u> 중에서 6으로 나누어떨어지는 수를 모두 구해 보시오.
└─ • 1, 2, 3과 같은 수

비법 PLUS +

■를 ▲로 나누었을 때 나누어떨어지면 ■+▲, ■+▲+▲……도 ▲로 나누어떨어집니다.

(1) 70보다 크고 80보다 작은 자연수 중에서 6으로 나누어떨어지는 가장 작은 수는 얼마입니까?

(   )

(2) 70보다 크고 80보다 작은 자연수 중에서 6으로 나누어떨어지는 수를 모두 구해 보시오.

(   )

유제 1 다음 조건을 만족하는 수는 모두 몇 개인지 구해 보시오.

> • 50보다 크고 80보다 작은 자연수입니다.
> • 4로 나누어떨어집니다.

(   )

유제 2 다음 조건을 만족하는 수를 모두 구해 보시오.

> • 60보다 크고 70보다 작은 자연수입니다.
> • 5로 나누었을 때 나머지가 4입니다.

(   )

대표유형 2 바르게 계산한 값 구하기

어떤 수를 4로 나누어야 할 것을 잘못하여 8로 나누었더니 몫이 7, 나머지가 2였습니다. 바르게 계산했을 때의 몫과 나머지를 각각 구해 보시오.

(1) 어떤 수는 얼마입니까?

(   )

(2) 바르게 계산했을 때의 몫과 나머지는 각각 얼마입니까?

몫 (   )

나머지 (   )

비법 PLUS ➕

먼저 어떤 수를 ☐라 하여 잘못 계산한 식을 만든 다음 확인하는 식을 세워 어떤 수를 구합니다.

유제 3 어떤 수를 3으로 나누어야 할 것을 잘못하여 7로 나누었더니 몫이 12, 나머지가 1이었습니다. 바르게 계산했을 때의 몫과 나머지를 각각 구해 보시오.

몫 (   )

나머지 (   )

• 서술형 문제 •

유제 4 어떤 수를 6으로 나누어야 할 것을 잘못하여 5로 나누었더니 몫이 14, 나머지가 4였습니다. 바르게 계산했을 때의 몫과 나머지를 각각 구하려고 합니다. 풀이 과정을 쓰고 답을 구해 보시오.

풀이 _____

_____

_____

답 몫: _____ , 나머지: _____

대표유형 3 나눗셈식 완성하기

오른쪽 나눗셈식에서 ㉠, ㉡, ㉢, ㉣, ㉤, ㉥에 알맞은 수를 각각 구해 보시오.

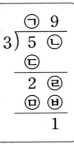

```
        ㉠  9
  3 ) 5  ㉡
      ㉢
  ─────────
      2  ㉣
      ㉤  ㉥
  ─────────
         1
```

(1) ㉠과 ㉢에 알맞은 수는 각각 얼마입니까?

㉠ (   ), ㉢ (   )

(2) ㉤과 ㉥에 알맞은 수는 각각 얼마입니까?

㉤ (   ), ㉥ (   )

(3) ㉡과 ㉣에 알맞은 수는 각각 얼마입니까?

㉡ (   ), ㉣ (   )

유제 5 오른쪽 나눗셈식에서 □ 안에 알맞은 수를 써넣으시오.

```
        1  □
  □ ) 9  □
      5
  ─────────
      4  1
      □  □
  ─────────
         □
```

유제 6 오른쪽 나눗셈식의 일부분이 가려져 보이지 않습니다. ★에 들어갈 수 있는 수를 모두 구해 보시오. (단, 가려진 부분은 모두 한 자리 수입니다.)

(   )

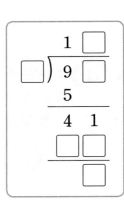

```
        1 ▓
  4 ) 7 ★
      4
  ─────────
      3 ▓
      3 ▓
  ─────────
         2
```

대표유형 4 일정한 간격으로 놓을 때 필요한 물건의 수 구하기

길이가 156 m인 도로의 한쪽에 처음부터 끝까지 6 m 간격으로 나무를 심으려고 합니다. 필요한 나무는 모두 몇 그루인지 구해 보시오. (단, 나무의 두께는 생각하지 않습니다.)

(1) 나무와 나무 사이의 간격은 모두 몇 군데입니까?

(   )

(2) 필요한 나무는 모두 몇 그루입니까?

(   )

비법 PLUS ✛

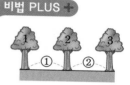

(도로의 한쪽에 필요한 나무의 수)
=(간격 수)+1

유제 **7** 길이가 114 cm인 종이띠 위에 3 cm 간격으로 누름 못을 꽂으려고 합니다. 종이띠의 처음과 끝에는 반드시 누름 못을 꽂는다고 할 때, 필요한 누름 못은 모두 몇 개인지 구해 보시오. (단, 누름 못의 두께는 생각하지 않습니다.)

(   )

유제 **8** 길이가 260 m인 도로의 양쪽에 처음부터 끝까지 4 m 간격으로 가로등을 세우려고 합니다. 필요한 가로등은 모두 몇 개인지 구해 보시오. (단, 가로등의 두께는 생각하지 않습니다.)

(   )

대표유형 5 수 카드로 나눗셈식 만들기

다음 4장의 수 카드 중에서 3장을 뽑아 한 번씩만 사용하여 (몇십몇)÷(몇)의 나눗셈식을 만들려고 합니다. 몫이 가장 클 때의 나눗셈의 몫을 구해 보시오.

2 5 6 8

비법 PLUS +

- 몫이 가장 큰 나눗셈식 만들기
  나누어지는 수를 가장 크게 하고, 나누는 수를 가장 작게 합니다.
- 몫이 가장 작은 나눗셈식 만들기
  나누어지는 수를 가장 작게 하고, 나누는 수를 가장 크게 합니다.

(1) 수 카드를 사용하여 몫이 가장 큰 (몇십몇)÷(몇)의 나눗셈식을 만들어 보시오.

☐☐÷☐

(2) 몫이 가장 클 때의 나눗셈의 몫을 구해 보시오.

( )

유제 9 다음 4장의 수 카드 중에서 3장을 뽑아 한 번씩만 사용하여 (몇십몇)÷(몇)의 나눗셈식을 만들려고 합니다. 몫이 가장 클 때의 나눗셈의 몫을 구해 보시오.

3 4 6 9

( )

유제 10 다음 4장의 수 카드를 한 번씩만 사용하여 (세 자리 수)÷(한 자리 수)의 나눗셈식을 만들려고 합니다. 몫이 가장 작을 때의 나눗셈의 몫을 구해 보시오.

0 4 5 9

( )

6 **적어도 얼마나 더 필요한지 구하기**

슬기네 가족은 할머니께서 보내주신 감을 껍질을 깎은 후 줄에 매달아 곶감으로 만들려고 합니다. 감 130개를 7줄에 남김없이 똑같이 나누어 매달려고 했더니 몇 개가 부족했습니다. 감은 적어도 몇 개 더 필요한지 구해 보시오.

(1) 감 130개를 7줄에 똑같이 나누어 매달면 한 줄에 몇 개씩 매달 수 있고, 몇 개가 남습니까?

(　　　　　,　　　　　)

(2) 감 130개를 7줄에 남김없이 똑같이 나누어 매달려면 감은 적어도 몇 개 더 필요합니까?

(　　　　　　　　　)

신유형 PLUS ＋

나눗셈식을 계산한 결과가
●÷■＝▲ … ◆일 때
남김없이 똑같이 나누려면
물건은 적어도 (■－◆)개
더 필요합니다.

유제 **11** 은혁이는 어머니와 함께 프랑스의 고급 과자인 마카롱을 155개 만들었습니다. 이 마카롱을 친구 9명에게 남김없이 똑같이 나누어 주려고 했더니 몇 개가 부족했습니다. 마카롱을 적어도 몇 개 더 만들어야 하는지 구해 보시오.

(　　　　　　　　　)

• 서술형 문제 •

유제 **12** 유찬이네 집에는 유리구슬이 135개 있습니다. 유찬이가 이 유리구슬로 팔찌를 만들기 위해 자른 실 8개에 유리구슬을 남김없이 똑같이 나누어 꿰려고 했더니 몇 개가 부족했습니다. 유리구슬은 적어도 몇 개 더 필요한지 풀이 과정을 쓰고 답을 구해 보시오.

풀이 _____

_____

_____

답 _____

STEP 3

상위권 문제

확인과 응용

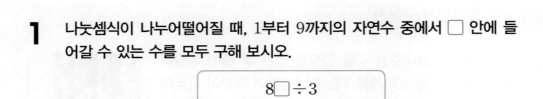

비법 PLUS+

1 나눗셈식이 나누어떨어질 때, 1부터 9까지의 자연수 중에서 □ 안에 들어갈 수 있는 수를 모두 구해 보시오.

8□ ÷ 3

( )

2 상자 안에 빨간색 단추가 88개, 노란색 단추가 95개 들어 있습니다. 이 상자에서 한 번에 최대 7개까지 단추를 꺼내려고 합니다. 단추를 모두 꺼내려면 적어도 몇 번 꺼내야 하는지 구해 보시오.

( )

• 서술형 문제 •

3 길이가 74 cm인 철사를 겹치지 않게 사용하여 한 변이 1 cm인 정사각형을 몇 개 만들었습니다. 만든 정사각형은 모두 몇 개인지 풀이 과정을 쓰고 답을 구해 보시오.

풀이

답

4 □ 안에 들어갈 수 있는 자연수를 모두 구해 보시오. (단, ★은 0이 아닙니다.)

□ ÷ 4 = 13 ⋯ ★

( )

● ★은 나누는 수인 4보다 작아야 합니다.

5 3장의 수 카드 [3], [4], [7]을 한 번씩 모두 사용하여 다음과 같은 나눗셈식을 만들려고 합니다. ㉠, ㉡, ㉢에 알맞은 수를 각각 구해 보시오.

$$9㉠ \div ㉡ = 13 \cdots ㉢$$

㉠ (   )

㉡ (   )

㉢ (   )

비법 PLUS ➕

○ 나누는 수와 나머지의 관계를 생각하여 ㉠, ㉡, ㉢이 될 수 있는 경우를 모두 나열해 봅니다.

6 9대의 기계가 16일 동안 전체 일의 반을 했습니다. 남은 일을 6대의 기계가 하면 며칠이 걸리는지 구해 보시오. (단, 한 대의 기계가 하루에 하는 일의 양은 모두 같습니다.)

(   )

○ (9대의 기계가 16일 동안 한 일의 양)
＝(남은 일의 양)

7 동훈이가 가지고 있는 구슬을 한 봉지에 5개씩 나누어 넣으면 3개가 남고, 6개씩 나누어 넣으면 2개가 남습니다. 동훈이가 가지고 있는 구슬이 60개보다 많고 80개보다 적다면 동훈이가 가지고 있는 구슬은 모두 몇 개인지 구해 보시오.

(   )

8 길이가 같은 색 테이프 7장을 그림과 같이 3 cm씩 겹쳐서 한 줄로 길게 이어 붙였습니다. 이어 붙인 색 테이프의 전체 길이가 59 cm일 때, 색 테이프 한 장의 길이는 몇 cm인지 구해 보시오.

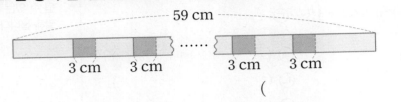

( )

비법 PLUS ✛

○ (이어 붙인 색 테이프의 전체 길이)
＝(색 테이프 7장의 길이의 합)
－(겹쳐진 부분의 길이의 합)

• 서술형 문제 •

9 다음과 같은 규칙으로 숫자를 놓을 때 50번째에 놓이는 숫자를 구하려고 합니다. 풀이 과정을 쓰고 답을 구해 보시오.

> 5 3 2 1 4 2 5 3 2 1 4 2 5 3 2 1 4 2……

풀이 _____

_____

_____

답 _____

10 그림과 같이 시각을 나타내는 디지털시계가 있습니다. 27÷3＝9이므로 3시 27분은 '분'을 '시'로 나누었을 때 나누어떨어집니다. 이와 같이 오전 6시부터 오전 9시까지 3시간 동안 '분'을 '시'로 나누었을 때 나누어떨어지는 시각은 모두 몇 번 있는지 구해 보시오. (단, 매시 정각은 생각하지 않습니다.)

( )

창의융합형 문제

11 기상학자였던 '베게너'는 어느 날 세계 지도를 보다가 남아메리카 동해안과 아프리카 서해안의 해안선이 일치한다는 것을 깨닫고 대륙 이동설을 주장했습니다. 지금도 지구 표면을 이루는 판들은 조금씩 움직이고 있는데 1년에 아프리카판은 2 cm, 호주−인도판은 7 cm 정도 이동합니다. 84 cm를 이동하는 데 아프리카판은 호주−인도판보다 몇 년 더 오래 걸리는지 구해 보시오.

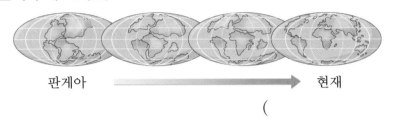

판게아 ⟶ 현재

(   )

창의융합 PLUS +

○ **대륙 이동설**
현재 지구상의 7개 대륙은 커다란 하나의 대륙인 판게아에서 갈라져 나와 이동되어 만들어졌다는 이론입니다. 베게너가 1912년 주장하였으며 그 증거로 해안선이 일치한다는 것과 같은 종류의 화석들이 여러 대륙에서 발견된다는 것 등이 있습니다.

12 건강한 사람의 정상 체온은 보통 $36.5 \sim 37.1\,^{\circ}\mathrm{C}$ 입니다. 만약 열이 많이 나서 체온이 올라간 경우에는 생명에 지장이 있을 수 있으므로 해열제를 먹어야 합니다. 다음은 어느 해열제를 1회에 먹을 수 있는 양입니다. 10살인 윤후가 해열제를 최소 양으로 6회 먹었더니 2술 남았습니다. 처음에 있던 해열제는 몇 술인지 구해 보시오.

┗● 숟가락으로 떠 세는 단위

나이(살)	1~2	3~6	7~11	12~13
1회에 먹을 수 있는 양(술)	1~2	2~4	3~7	5~8

(   )

○ **해열제**
병적으로 높아진 체온을 정상으로 내리게 하는 약을 말합니다. 해열제는 의사의 처방 없이도 살 수 있으므로 해열제를 먹을 때는 먹는 양과 횟수를 잘 지켜야 합니다.

1 다음 조건을 만족하는 두 자리 수를 구해 보시오.

> • 8로 나누어떨어집니다.
> • 6으로 나누었을 때 나머지가 4입니다.
> • 일의 자리 수가 십의 자리 수보다 큽니다.

(   )

2 통나무를 쉬지 않고 7토막으로 자르는 데 1시간 24분이 걸립니다. 통나무를 한 번 자르고 나서 5분씩 쉰다면 통나무를 11토막으로 자르는 데에는 모두 몇 시간 몇 분이 걸리는지 구해 보시오. (단, 통나무를 한 번 자르는 데 걸리는 시간은 모두 같습니다.)

(   )

3 7로 나누면 나머지가 5가 되는 두 자리 수와 9로 나누면 나머지가 8이 되는 두 자리 수의 개수의 차는 몇 개인지 구해 보시오.

(   )

★ 빠른 정답 3쪽, 정답과 풀이 18쪽
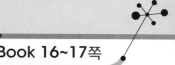

4 정민이는 80 m 앞에 있는 동생을 따라 걷기 시작했습니다. 동생은 10초에 5 m 씩 걷고 정민이는 10초에 9 m씩 걷는다고 합니다. 정민이와 동생이 만나는 것은 정민이가 걷기 시작한 지 몇 분 몇 초 후인지 구해 보시오. (단, 정민이와 동생은 같은 길을 걷고 있습니다.)

( )

5 네 변의 길이의 합이 48 cm인 정사각형을 다음과 같은 규칙으로 선을 그어 크기가 같은 정사각형이 여러 개가 되도록 만들었습니다. 6번째에 만든 가장 작은 정사각형 한 개의 네 변의 길이의 합은 몇 cm인지 구해 보시오.

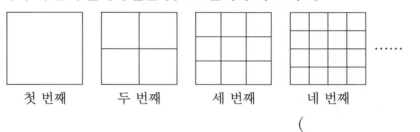

첫 번째   두 번째   세 번째   네 번째   ……

( )

6 꽃밭에 한 변이 72 m인 정사각형 모양의 선을 긋고 그 위에 3 m 간격으로 빨간색 튤립을 심은 다음, 빨간색 튤립 사이에 노란색 튤립을 한 송이씩 심으려고 합니다. 정사각형의 네 꼭짓점에 모두 빨간색 튤립을 심는다면 튤립은 모두 몇 송이를 심어야 하는지 구해 보시오.

( )

디오판토스 (Diophantos)

- **출생~사망:** 200?~284?
- **국적:** 그리스
- **업적:** 대수학(수학 법칙을 간명하게 나타내는 학문)의 아버지로 불리며 수학을 간단한 문자와 기호로 나타내었습니다. 자신의 묘비에 자신의 생애를 나타낸 문제를 남긴 것으로도 유명합니다.

3

원

1 원의 중심, 반지름, 지름

- **원의 중심**: 원을 그릴 때에 누름 못이 꽂혔던 점 → 점 ㅇ
- **원의 반지름**: 원의 중심과 원 위의 한 점을 이은 선분 → 선분 ㅇㄱ, 선분 ㅇㄴ
- **원의 지름**: 원 위의 두 점을 이은 선분이 원의 중심을 지날 때의 선분 → 선분 ㄱㄴ

초 6-2 연계
원주(원둘레): 원의 둘레

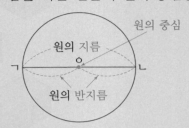

참고 ·한 원에서 원의 중심은 1개입니다.
·한 원에서 반지름과 지름은 무수히 많이 그을 수 있습니다.
·한 원에서 반지름과 지름은 각각 모두 같습니다.

2 원의 성질

◎ 원의 지름의 성질

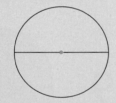

원을 똑같이 둘로 나눕니다.

원 안에 그을 수 있는
가장 긴 선분입니다.

◎ 원의 지름과 반지름의 관계

- 한 원에서 지름은 반지름의 2배입니다.
  ⇨ (지름)＝(반지름)×2
- 한 원에서 반지름은 지름의 반입니다.
  ⇨ (반지름)＝(지름)÷2

예 반지름이 3 cm인 원의 지름
구하기

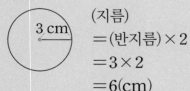

(지름)
＝(반지름)×2
＝3×2
＝6(cm)

예 지름이 10 cm인 원의 반지름
구하기

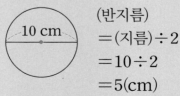

(반지름)
＝(지름)÷2
＝10÷2
＝5(cm)

1 원의 중심을 찾아보시오.

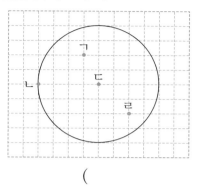

(   )

2 원의 반지름을 나타내는 선분을 모두 찾아보 시오.

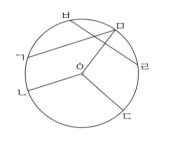

(   )

3 그림과 같이 정사각형 안에 가장 큰 원을 그렸 습니다. 원의 반지름은 몇 cm입니까?

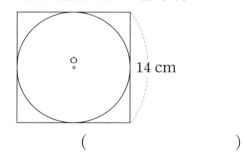

(   )

4 원에 대한 설명으로 틀린 것을 모두 고르시오.

(   )

① 한 원에는 원의 중심이 1개 있습니다.

② 지름은 원을 똑같이 둘로 나눕니다.

③ 지름은 원 안에 그을 수 있는 가장 짧은 선분입니다.

④ 한 원에서 지름은 모두 같습니다.

⑤ 반지름은 지름의 2배입니다.

5 크기가 큰 원부터 차례대로 기호를 써 보시오.

> ㉠ 원의 반지름이 13 cm인 원
> ㉡ 원의 중심과 원 위의 한 점을 이은 선분이 15 cm인 원
> ㉢ 원의 지름이 22 cm인 원

(   )

6 꽃 박람회를 갔더니 원 모양의 화단이 있었습 니다. 큰 원 모양 화단의 지름이 32 m일 때, 작은 원 모양 화단의 반지름은 몇 m입니까?

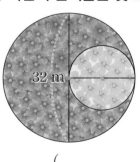

(   )

3 컴퍼스를 이용하여 원 그리기

◎ 컴퍼스를 이용하여 반지름이 2 cm인 원 그리기

원의 중심이 되는 점 ㅇ을 정합니다.	컴퍼스를 원의 반지름만큼 벌립니다.	컴퍼스의 침을 점 ㅇ에 꽂고 원을 그립니다.

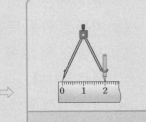 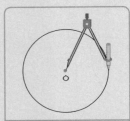

참고 ▶ 컴퍼스를 이용하여 원을 그릴 때 컴퍼스의 침과 연필심 사이의 거리는 원의 반지름과 같습니다.

4 원을 이용하여 여러 가지 모양 그리기

◎ 주어진 모양과 똑같이 그리기

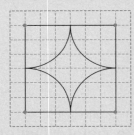

① 정사각형을 그립니다.
② 정사각형의 네 꼭짓점을 원의 중심으로 하는 원의 일부분을 4개 그립니다.

개념 PLUS
★ 원을 이용하여 여러 가지 모양을 그릴 때에는 컴퍼스의 침을 꽂아야 할 위치를 잘 생각해야 합니다.

◎ 규칙에 따라 원 그리기

원의 중심은 같고 원의 반지름만 변하는 규칙	원의 중심만 변하고 원의 반지름은 같은 규칙	원의 중심과 원의 반지름이 모두 변하는 규칙

개념 PLUS
★ 규칙에 따라 원을 그릴 때에는 원의 중심과 반지름의 변화를 모두 살펴봐야 합니다.

1 점 ○을 원의 중심으로 하는 반지름이 2 cm인 원을 그려 보시오.

2 컴퍼스를 이용하여 반지름이 10 cm인 원을 그릴 때 컴퍼스의 침과 연필심 사이를 몇 cm 만큼 벌려야 합니까?

(   )

3 컴퍼스를 이용하여 나침반과 크기가 같은 원을 그려 보고, 그린 방법을 설명해 보시오.

나침반

방법 _____

_____

_____

4 주어진 모양을 그리기 위하여 컴퍼스의 침을 꽂아야 할 곳을 모눈종이에 모두 표시해 보시오.

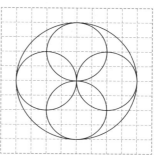

5 주어진 모양과 똑같이 그려 보시오.

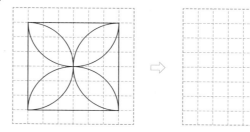

6 그림을 보고 어떤 규칙이 있는지 설명하고, 규칙에 따라 원을 1개 더 그려 보시오.

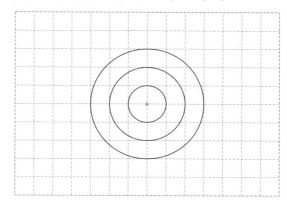

규칙 _____

_____

_____

대표유형 **1** 원의 중심의 개수 구하기

오른쪽과 같은 모양을 그릴 때 원의 중심은 모두 몇 개인지 구해 보시오.

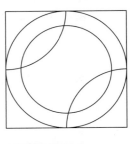

(1) 모양을 그릴 때 이용된 원은 몇 개입니까? (단, 원의 일부 분만 그려도 1개로 생각합니다.)

(   )

(2) 원의 중심이 같은 원은 몇 개입니까?

(   )

(3) 원의 중심은 모두 몇 개입니까?

(   )

> **비법 PLUS +**
>
> 원의 중심이 같은 원은 원의 중심을 1개로 생각합니다.

유제 **1** 오른쪽과 같은 모양을 그릴 때 원의 중심은 모두 몇 개인지 구해 보시오.

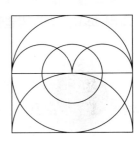

(   )

유제 **2** 가, 나와 같은 모양을 그릴 때 원의 중심은 모두 몇 개인지 구해 보시오.

가 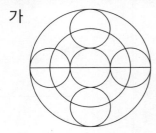 나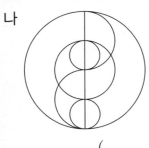

(   )

대표유형 2　**선분의 길이 구하기**

오른쪽 그림에서 각 점은 원의 중심입니다. 선분 ㄱㄴ은 몇 cm인지 구해 보시오.

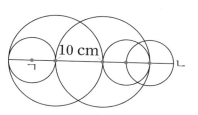

(1) 작은 원의 반지름은 몇 cm입니까?

　　　　　　　　　　　　　　(　　　　　　　)

(2) 큰 원의 지름은 몇 cm입니까?

　　　　　　　　　　　　　　(　　　　　　　)

(3) 선분 ㄱㄴ은 몇 cm입니까?

　　　　　　　　　　　　　　(　　　　　　　)

비법 PLUS +

(선분 ㄱㄴ)
＝(작은 원의 반지름)
　＋(큰 원의 지름)
　＋(작은 원의 반지름)

유제 3　오른쪽 그림에서 각 점은 원의 중심입니다. 가장 큰 원의 반지름이 24 cm라면 선분 ㄱㄴ은 몇 cm인지 구해 보시오.

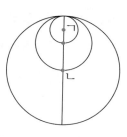

　　　　　　　　(　　　　　　　)

유제 4　• 서술형 문제 •
오른쪽 그림에서 각 점은 원의 중심입니다. 선분 ㄱㄴ은 몇 cm인지 풀이 과정을 쓰고 답을 구해 보시오.

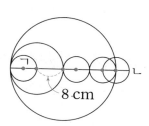

풀이 _____

_____

_____

답 _____

대표유형 3 | 삼각형의 세 변의 길이의 합 구하기

오른쪽 그림과 같이 반지름이 7 cm인 원 2개를 서로 원의 중심이 지나도록 겹치게 그려서 삼각형을 만들었습니다. 삼각형 ㄱㄴㄷ의 세 변의 길이의 합은 몇 cm인지 구해 보시오.

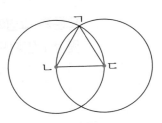

(1) 삼각형 ㄱㄴㄷ의 세 변의 길이는 각각 몇 cm입니까?

변 ㄱㄴ ( )
변 ㄴㄷ ( )
변 ㄷㄱ ( )

(2) 삼각형 ㄱㄴㄷ의 세 변의 길이의 합은 몇 cm입니까?

( )

비법 PLUS +

원의 반지름을 이용하여 삼각형 ㄱㄴㄷ의 세 변의 길이를 각각 구합니다.

유제 **5** 오른쪽 그림과 같이 지름이 16 cm인 원 3개를 그려서 삼각형을 만들었습니다. 삼각형 ㄱㄴㄷ의 세 변의 길이의 합은 몇 cm인지 구해 보시오.

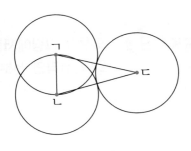

( )

유제 **6** 오른쪽 그림과 같이 크기가 다른 원 2개를 겹치게 그려서 삼각형을 만들었습니다. 삼각형 ㄱㄴㄷ의 세 변의 길이의 합은 몇 cm인지 구해 보시오.

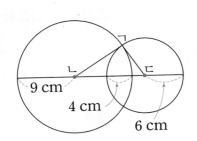

( )

대표유형 4　크기가 같은 작은 원의 반지름 구하기

오른쪽 그림과 같이 큰 원 안에 크기가 같은 작은 원 4개를 겹치지 않도록 맞닿게 그렸습니다. 큰 원의 지름이 24 cm라면 작은 원의 반지름은 몇 cm인지 구해 보시오.

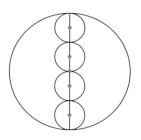

(1) 큰 원의 지름은 작은 원의 반지름의 몇 배입니까?
(　　　　　)

(2) 작은 원의 반지름은 몇 cm입니까?
(　　　　　)

> **비법 PLUS +**
> 큰 원의 지름은 작은 원의 반지름의 몇 배인지 알아봅니다.

유제 7　오른쪽 그림과 같이 큰 원 안에 크기가 같은 작은 원 3개를 서로 원의 중심이 지나도록 겹쳐서 그렸습니다. 큰 원의 반지름이 18 cm라면 작은 원의 반지름은 몇 cm인지 구해 보시오.

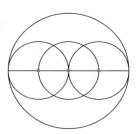

(　　　　　)

유제 8　오른쪽 그림과 같이 큰 원 안에 크기가 같은 작은 원 8개를 서로 원의 중심이 지나도록 겹쳐서 그렸습니다. 큰 원의 지름이 45 cm라면 작은 원의 반지름은 몇 cm인지 구해 보시오.

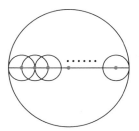

(　　　　　)

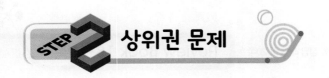

대표유형 5 규칙에 따라 원을 그릴 때 ■번째 원의 지름 구하기

오른쪽 그림과 같이 원의 중심을 같게 하고, 반지름을 일정하게 늘려 가며 원을 그리고 있습니다. 규칙에 따라 원을 그릴 때 5번째 원의 지름은 몇 cm인지 구해 보시오.

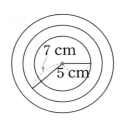

비법 PLUS ＋

원의 반지름이 몇 cm씩 늘어나는 규칙이 있는지 알아봅니다.

(1) 반지름은 몇 cm씩 늘어나는 규칙이 있습니까?

(   )

(2) 5번째 원의 지름은 몇 cm입니까?

(   )

유제 9 오른쪽 그림과 같이 오른쪽으로 원의 중심을 1 cm씩 옮기고, 반지름을 일정하게 늘려 가며 원을 그리고 있습니다. 규칙에 따라 원을 그릴 때 7번째 원의 지름은 몇 cm인지 구해 보시오.

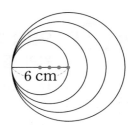

(   )

유제 10 ● 서술형 문제 ●

그림과 같이 일정한 규칙으로 원을 그리고 있습니다. 규칙에 따라 원을 그릴 때 9번째 원의 지름은 몇 cm인지 풀이 과정을 쓰고 답을 구해 보시오.

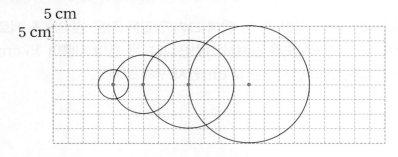

풀이

답

신유형 6   물건의 지름 또는 반지름 구하기

다음 그림과 같이 상자에 100원짜리 동전 3개가 들어 있습니다. 상자의 네 변의 길이의 합이 192 mm일 때 100원짜리 동전의 지름은 몇 mm인지 구해 보시오. (단, 상자의 두께는 생각하지 않습니다.)

신유형 PLUS +

상자의 네 변의 길이의 합은 100원짜리 동전의 지름의 몇 배인지 알아봅니다.

(1) 상자의 네 변의 길이의 합은 100원짜리 동전의 지름의 몇 배입니까?

(   )

(2) 100원짜리 동전의 지름은 몇 mm입니까?

(   )

유제 11   오른쪽 그림과 같이 상자에 10원짜리 동전 4개가 들어 있습니다. 상자의 네 변의 길이의 합이 144 mm일 때 10원짜리 동전의 지름은 몇 mm인지 구해 보시오. (단, 상자의 두께는 생각하지 않습니다.)

(   )

유제 12   다음 그림과 같이 상자에 통조림통 4개가 들어 있습니다. 상자의 네 변의 길이의 합이 60 cm일 때 통조림통의 반지름은 몇 cm인지 구해 보시오. (단, 상자의 두께는 생각하지 않습니다.)

(   )

1 오른쪽 그림에서 가장 큰 원의 반지름이 20 cm라면 가장 작은 원의 반지름은 몇 cm인지 구해 보시오.

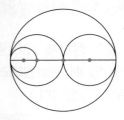

(   )

비법 PLUS +

2 오른쪽 그림에서 삼각형 ㅇㄱㄴ의 세 변의 길이의 합은 31 cm입니다. 원의 지름은 몇 cm인지 구해 보시오.

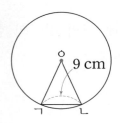

9 cm

(   )

○ 삼각형 ㅇㄱㄴ의 세 변의 길이의 합을 이용하여 먼저 원의 반지름을 구합니다.

3 오른쪽 그림과 같이 큰 원 안에 크기가 같은 작은 원 3개를 겹치지 않도록 맞닿게 그렸습니다. 큰 원의 지름이 36 cm라면 큰 원의 반지름과 작은 원의 반지름의 차는 몇 cm인지 구해 보시오.

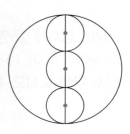

(   )

4 크기가 다른 두 원 가, 나가 있습니다. 가 원의 반지름은 나 원의 반지름의 4배입니다. 가 원의 지름이 80 cm라면 나 원의 반지름은 몇 cm인지 구해 보시오.

(   )

★ 빠른 정답 4쪽, 정답과 풀이 22쪽

● 서술형 문제 ●

5 오른쪽 그림과 같이 원 4개를 겹치지 않도록 맞닿게 그려서 사각형을 만들었습니다. 사각형 ㄱㄴㄷㄹ의 네 변의 길이의 합은 몇 cm인지 풀이 과정을 쓰고 답을 구해 보시오.

비법 PLUS +

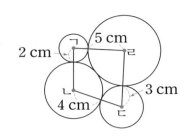

풀이

답

6 오른쪽 그림과 같이 직사각형 안에 크기가 같은 원 3개를 서로 원의 중심이 지나도록 겹치게 그려서 사각형 2개를 만들었습니다. 색칠한 사각형 2개의 모든 변의 길이의 합은 몇 cm인지 구해 보시오.

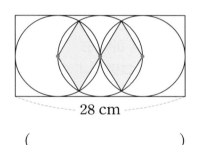

( )

7 그림과 같이 직사각형 안에 큰 원과 작은 원을 겹치지 않도록 맞닿게 그렸습니다. 큰 원 2개의 지름과 작은 원 2개의 지름이 각각 같을 때 선분 ㄱㄴ은 몇 cm인지 구해 보시오.

● 큰 원의 지름은 직사각형의 세로와 같습니다.

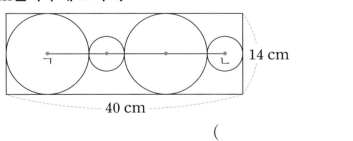

( )

• 서술형 문제 •

8 오른쪽 그림과 같이 큰 원 안에 크기가 같은 작은 원 4개를 겹쳐서 그렸습니다. 큰 원의 반지름이 13 cm라면 작은 원의 반지름은 몇 cm인지 풀이 과정을 쓰고 답을 구해 보시오.

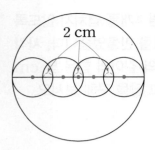

비법 PLUS +

○ 큰 원의 지름을 이용하여 작은 원의 지름을 먼저 구해 봅니다.

풀이

_____

_____

_____

답 _____

9 오른쪽 그림과 같이 직사각형 안에 점 ㄴ, 점 ㄷ을 각각 원의 중심으로 하여 크기가 같은 원의 일부분을 2개 그렸습니다. 이때 만들어지는 삼각형 ㄱㄴㄷ의 세 변의 길이의 합은 몇 cm인지 구해 보시오.

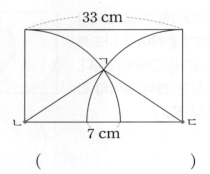

(   )

10 오른쪽 그림과 같이 직사각형 안에 점 ㄱ, ㄴ, ㄷ, ㄹ을 각각 원의 중심으로 하여 원의 일부분을 4개 그렸습니다. 점 ㄹ을 원의 중심으로 하는 원의 반지름은 점 ㄱ을 원의 중심으로 하는 원의 반지름의 2배보다 1 cm 더 깁니다. 점 ㄷ을 원의 중심으로 하는 원의 반지름은 몇 cm인지 구해 보시오.

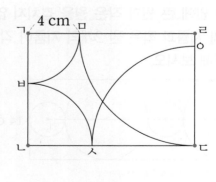

(   )

창의융합형 문제

11 오른쪽은 50 m 권총 사격의 표적으로 표적 안의 각 수는 표적을 맞혔을 때 얻는 점수를 뜻합니다. 9점 원의 지름이 10 cm이고 점수가 1점씩 줄어들 때마다 득점 원의 지름이 5 cm씩 늘어난다면 가장 큰 원의 반지름은 몇 cm인지 구해 보시오.

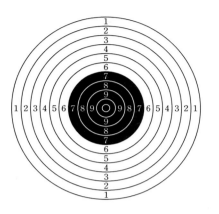

(   )

창의융합 PLUS +

○ **사격**

일정한 거리에서 설치된 표적을 총으로 맞혀 그 정확도를 점수로 겨루는 경기입니다.

12 떡살은 떡을 눌러 여러 가지 무늬를 찍어 내는 판입니다. 다음과 같이 지름이 4 cm인 원 모양의 떡살을 이용하여 가로가 24 cm, 세로가 12 cm인 직사각형 모양의 떡에 서로 겹치지 않게 무늬를 찍어 절편을 만들려고 합니다. 절편은 몇 개까지 만들 수 있는지 구해 보시오.

4 cm

손잡이

떡살

(   )

○ **떡살의 무늬**

단옷날의 수리취 절편에는 수레바퀴 무늬가 있는 떡살로 무늬를 내고, 잔칫날의 떡에는 꽃무늬가 있는 떡살로 무늬를 냅니다.

▲ 수리취 절편

1 오른쪽 그림과 같이 직사각형 안에 크기가 같은 원 2개 를 서로 원의 중심이 지나도록 겹쳐서 그렸습니다. 삼각 형 ㄱㄴㄷ의 세 변의 길이의 합은 몇 cm인지 구해 보 시오.

( )

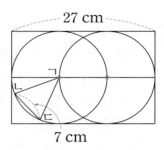

27 cm

7 cm

2 그림과 같이 지름이 14 cm인 원 여러 개를 서로 원의 중심이 지나도록 겹쳐서 그 렸습니다. 선분 ㄱㄴ이 98 cm라면 그린 원은 모두 몇 개인지 구해 보시오.

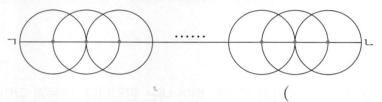

( )

3 직사각형 안에 반지름이 3 cm인 원 15개를 그림과 같은 규칙으로 그렸더니 직사 각형에 꼭 맞게 그려졌습니다. 직사각형의 가로는 몇 cm인지 구해 보시오.

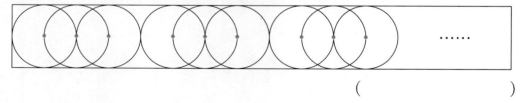

( )

4 오른쪽 그림과 같이 가로가 26 cm이고, 세로가 14 cm인 직사각형의 둘레에 지름이 2 cm인 원을 겹치지 않게 이어 붙였습니다. 이때 원의 중심을 이어서 만든 직사각형의 네 변의 길이의 합은 몇 cm인지 구해 보시오.

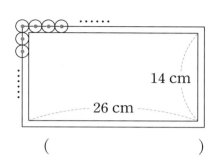

14 cm

26 cm

(   )

5 그림과 같이 반지름이 4 cm인 원을 그리고 바깥쪽에 있는 원의 중심을 이어 삼각형을 만들고 있습니다. 삼각형의 세 변의 길이의 합이 192 cm라면 그린 원은 모두 몇 개인지 구해 보시오.

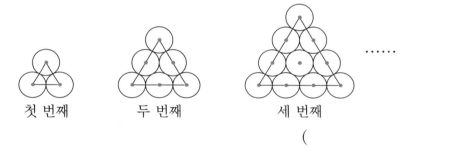

첫 번째   두 번째   세 번째

(   )

6 크기가 같은 원 모양의 고리 6개를 엮어서 그림과 같이 연결했습니다. 선분 ㄱㄴ이 66 cm라면 고리의 바깥쪽 반지름은 몇 cm인지 구해 보시오.

3 cm

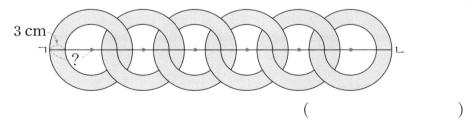

ㄱ   ?   ㄴ

(   )

아르키메데스 (Archimedes)

- **출생~사망:** 기원전 287?~기원전 212
- **국적:** 고대 그리스(시라쿠사)
- **업적:** 고대 그리스 최고의 수학자, 철학자, 물리학자 겸 공학자입니다. 유레카로 유명한 '아르키메데스의 원리(부력의 원리)'를 발견하고, 지렛대의 원리에 능통해 다양한 발명품을 만들었습니다. 죽는 순간까지 도형을 연구하였으며 당시에 가장 정확하게 원의 둘레를 구하였습니다.

4

분수

① 분수로 나타내기

10을 2씩 묶으면 5묶음이 됩니다.

• 2는 10의 $\frac{①}{⑤}$ 입니다.
  - ① 2씩 묶음 수
  - ⑤ 전체 묶음 수

• 4는 10의 $\frac{②}{⑤}$ 입니다.
  - ② 2씩 묶음 수
  - ⑤ 전체 묶음 수

> '전체 묶음 수'는 분모에, '부분 묶음 수'는 분자에 씁니다.
> ⇨ $\dfrac{(부분\ 묶음\ 수)}{(전체\ 묶음\ 수)}$

② 분수만큼 알아보기

○ 자연수에 대한 분수만큼 알아보기
└ 1, 2, 3과 같은 수

• 9의 $\frac{1}{3}$ ⇨ 9를 똑같이 3묶음으로 나눈 것 중의 1묶음 ⇨ 3

• 9의 $\frac{2}{3}$ ⇨ 9를 똑같이 3묶음으로 나눈 것 중의 2묶음 ⇨ 6

> ●의 $\frac{▲}{■}$ ⇨ ●를 똑같이 ■묶음으로 나눈 것 중의 ▲묶음

○ 길이에 대한 분수만큼 알아보기

0　1　2　3　4　5　6　7　8　9　10　11　12 (cm)

• 12 cm의 $\frac{1}{4}$ ⇨ 12 cm를 똑같이 4부분으로 나눈 것 중의 1부분
  ⇨ 3 cm

• 12 cm의 $\frac{3}{4}$ ⇨ 12 cm를 똑같이 4부분으로 나눈 것 중의 3부분
  ⇨ 9 cm

> ●의 $\frac{▲}{■}$ ⇨ ●를 똑같이 ■부분으로 나눈 것 중의 ▲부분

초 5-1 연계 ↻

★ 크기가 같은 분수 만들기

방법1 분모와 분자에 0이 아닌 같은 수를 곱합니다.

$$\frac{1}{2} = \frac{1 \times 2}{2 \times 2} = \frac{1 \times 3}{2 \times 3} = \cdots\cdots$$

방법2 분모와 분자를 0이 아닌 같은 수로 나눕니다.

$$\frac{4}{8} = \frac{4 \div 2}{8 \div 2} = \frac{4 \div 4}{8 \div 4}$$

개념 PLUS ✛

★ 분수만큼은 얼마인지 알아보기

• ●의 $\frac{1}{■}$ ⇨ ● ÷ ■

• ●의 $\frac{▲}{■}$ ⇨ (● ÷ ■)가 ▲개

1 그림을 보고 □ 안에 알맞은 수를 써넣으시오.

12를 4씩 묶으면 □묶음이 됩니다.

8은 12의 $\dfrac{\square}{\square}$입니다.

2 그림을 보고 □ 안에 알맞은 수를 써넣으시오.

(1) 1시간의 $\dfrac{1}{3}$은 □분입니다.

(2) 1시간의 $\dfrac{3}{4}$은 □분입니다.

3 ㉠＋㉡의 값을 구해 보시오.

- 15를 5씩 묶으면 5는 15의 $\dfrac{㉠}{3}$입니다.

- 15를 3씩 묶으면 6은 15의 $\dfrac{㉡}{5}$입니다.

(   )

4 나타내는 수가 큰 것부터 순서대로 번호를 써 보시오.

| 21의 $\dfrac{1}{3}$ | 35의 $\dfrac{2}{7}$ | 32의 $\dfrac{3}{8}$ |

(   ) (   ) (   )

5 조건에 맞게 파란색과 노란색으로 색칠하여 무늬를 꾸며 보시오.

- 파란색: 18의 $\dfrac{4}{9}$ • 노란색: 18의 $\dfrac{5}{9}$

6 진혁이는 색종이 36장의 $\dfrac{1}{4}$을 종이접기 하는 데에 사용했습니다. 진혁이가 사용하고 남은 색종이는 몇 장입니까?

(   )

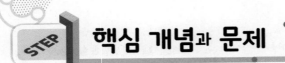
3 진분수, 가분수

- 진분수: 분자가 분모보다 작은 분수 ⇨ $\dfrac{1}{2}$, $\dfrac{2}{3}$, $\dfrac{3}{5}$

- 가분수: 분자가 분모와 같거나 분모보다 큰 분수 ⇨ $\dfrac{4}{4}$, $\dfrac{7}{6}$, $\dfrac{10}{9}$

- 자연수: 1, 2, 3과 같은 수

참고 0은 자연수가 아닙니다.

개념 PLUS⁺

- 분모가 ■인 진분수

⇨ $\dfrac{1}{■}$, $\dfrac{2}{■}$ …… $\dfrac{■-1}{■}$

└ 가장 작은 수   └ 가장 큰 수

- 분모가 ▲인 가분수

⇨ $\dfrac{▲}{▲}$, $\dfrac{▲+1}{▲}$, $\dfrac{▲+2}{▲}$ ……

└ 가장 작은 수

- 자연수 1은 분자와 분모가 같은 분수로 나타낼 수 있습니다.

$$1=\dfrac{2}{2}=\dfrac{3}{3}=\dfrac{4}{4}=……$$

4 대분수

◎ 대분수: 자연수와 진분수로 이루어진 분수

⇨ $1\dfrac{2}{3}$ ⇨ [읽기] 1과 3분의 2

◎ 대분수는 가분수로, 가분수는 대분수로 나타내기

대분수를 가분수로 나타내기	가분수를 대분수로 나타내기

- 대분수를 가분수로 나타내기

$2\dfrac{2}{3}$ ⇨ $\dfrac{6}{3}$ 과 $\dfrac{2}{3}$ ⇨ $\dfrac{8}{3}$

- 가분수를 대분수로 나타내기

$\dfrac{7}{6}$ ⇨ $\dfrac{6}{6}$ 과 $\dfrac{1}{6}$ ⇨ $1\dfrac{1}{6}$

개념 PLUS⁺

★ 대분수를 가분수로 나타내기

$■\dfrac{●}{▲}$ ⇨ $\dfrac{■×▲}{▲}$ 와 $\dfrac{●}{▲}$

★ 가분수를 대분수로 나타내기

$\dfrac{★}{▲}$ ⇨ $★÷▲=■…●$

⇨ $■\dfrac{●}{▲}$

5 분모가 같은 분수의 크기 비교

◎ 분모가 같은 가분수의 크기 비교

분자의 크기가 큰 가분수가 더 큽니다. ⇨ $\dfrac{5}{4}<\dfrac{7}{4}$

◎ 분모가 같은 대분수의 크기 비교

먼저 자연수의 크기를 비교하고, 자연수의 크기가 같으면 분자의 크기가 큰 대분수가 더 큽니다. ⇨ $4\dfrac{1}{3}>1\dfrac{2}{3}$, $2\dfrac{3}{7}<2\dfrac{5}{7}$

◎ 분모가 같은 가분수와 대분수의 크기 비교

- $1\dfrac{5}{8}$ 와 $\dfrac{11}{8}$ 의 크기 비교

방법1 대분수를 가분수로 나타내어 크기 비교하기

$$1\dfrac{5}{8}=\dfrac{13}{8} ⇨ \dfrac{13}{8}>\dfrac{11}{8} ⇨ 1\dfrac{5}{8}>\dfrac{11}{8}$$

방법2 가분수를 대분수로 나타내어 크기 비교하기

$$\dfrac{11}{8}=1\dfrac{3}{8} ⇨ 1\dfrac{5}{8}>1\dfrac{3}{8} ⇨ 1\dfrac{5}{8}>\dfrac{11}{8}$$

1 진분수, 가분수, 대분수로 분류해 보시오.

$$\frac{11}{10} \quad 3\frac{5}{6} \quad \frac{4}{4} \quad \frac{5}{7} \quad \frac{3}{12} \quad 2\frac{8}{9}$$

진분수	가분수	대분수

2 분모가 10인 진분수는 모두 몇 개입니까?

(   )

3 조건에 맞는 분수를 찾아 ○표 하시오.

> 분모와 분자의 합이 17이고
> 가분수입니다.

($\dfrac{17}{3}$ $\dfrac{6}{11}$ $\dfrac{12}{5}$)

4 다음 중 옳지 <u>않은</u> 것을 모두 고르시오.

(   )

① $4\dfrac{1}{6} = \dfrac{24}{6}$ ② $\dfrac{23}{4} = 5\dfrac{3}{4}$

③ $3\dfrac{5}{8} = \dfrac{29}{8}$ ④ $\dfrac{32}{7} = 4\dfrac{5}{7}$

⑤ $2\dfrac{7}{12} = \dfrac{31}{12}$

5 큰 분수부터 차례대로 써 보시오.

$$1\frac{7}{9} \qquad \frac{14}{9} \qquad 2\frac{1}{9}$$

(   )

6 3장의 수 카드 중에서 2장을 뽑아 한 번씩만 사용하여 분모가 7인 가장 큰 대분수를 만들고, 가분수로 나타내어 보시오.

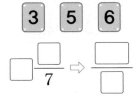

대표유형 **1** **분수만큼은 얼마인지 구하기**

공책이 28권 있습니다. 연주에게 28권의 $\frac{1}{4}$ 만큼을 주었고, 민지에게 28권의 $\frac{3}{7}$ 만큼을 주었습니다. 남은 공책은 몇 권인지 구해 보시오.

(1) 연주에게 준 공책은 몇 권입니까?

(   )

(2) 민지에게 준 공책은 몇 권입니까?

(   )

(3) 남은 공책은 몇 권입니까?

(   )

비법 PLUS ➕

- ●의 $\frac{1}{■}$ ⇨ ● ÷ ■

- ●의 $\frac{▲}{■}$

  ⇨ (● ÷ ■)가 ▲개

유제 **1** 정민이네 반 학생은 36명입니다. 장래 희망이 의사인 학생은 36명의 $\frac{2}{9}$ 이고, 장래 희망이 선생님인 학생은 36명의 $\frac{1}{3}$ 입니다. 장래 희망이 의사나 선생님이 아닌 학생은 몇 명인지 구해 보시오.

(   )

유제 **2** 규성이는 리본을 40 cm 가지고 있습니다. 40 cm의 $\frac{2}{5}$ 만큼은 선물을 포장하는 데에 사용하고, 나머지의 $\frac{5}{6}$ 만큼은 미술 시간에 사용했습니다. 미술 시간에 사용한 리본은 몇 cm인지 구해 보시오.

(   )

★ 빠른 정답 4쪽, 정답과 풀이 25쪽

4. 분수

대표유형 2 어떤 수의 분수만큼은 얼마인지 구하기

어떤 수의 $\frac{3}{10}$은 12입니다. 어떤 수의 $\frac{1}{5}$은 얼마인지 구해 보시오.

(1) 어떤 수의 $\frac{1}{10}$은 얼마입니까?

(   )

(2) 어떤 수는 얼마입니까?

(   )

(3) 어떤 수의 $\frac{1}{5}$은 얼마입니까?

(   )

비법 PLUS ＋

• 어떤 수의 $\frac{\blacktriangle}{\blacksquare}$는 어떤 수의 $\frac{1}{\blacksquare}$이 $\blacktriangle$개입니다.

• 어떤 수의 $\frac{1}{\blacksquare}$이 ●이면 어떤 수는 ●×■입니다.

유제 3 어떤 수의 $\frac{6}{11}$은 48입니다. 어떤 수의 $\frac{1}{8}$은 얼마인지 구해 보시오.

(   )

유제 4 예은이네 반 전체 학생의 $\frac{2}{9}$는 혈액형이 A형이고, 예은이네 반 전체 학생의 $\frac{2}{5}$는 B형입니다. A형인 학생이 10명일 때 B형인 학생은 몇 명인지 구해 보시오.

(   )

대표유형 3 □ 안에 들어갈 수 있는 수 구하기

□ 안에 들어갈 수 있는 자연수를 모두 구해 보시오.

$$4\frac{\square}{6} < \frac{28}{6}$$

비법 PLUS +

가분수를 대분수로 나타내어 범위를 만족하는 자연수를 구합니다.

(1) $\frac{28}{6}$ 을 대분수로 나타내어 보시오.

(   )

(2) □ 안에 들어갈 수 있는 자연수를 모두 구해 보시오.

(   )

유제 5 □ 안에 들어갈 수 있는 자연수 중 가장 큰 수를 구해 보시오.

$$3\frac{3}{4} > \frac{\square}{4}$$

(   )

유제 6 • 서술형 문제 •

□ 안에 들어갈 수 있는 자연수는 모두 몇 개인지 풀이 과정을 쓰고 답을 구해 보시오.

$$\frac{29}{9} < \square\frac{1}{9} < \frac{104}{9}$$

풀이 _____

_____

_____

답 _____

대표유형 **4**　수 카드로 조건에 알맞은 분수 만들기

3장의 수 카드를 한 번씩만 사용하여 만들 수 있는 진분수는 모두 몇 개인지 구해 보시오.

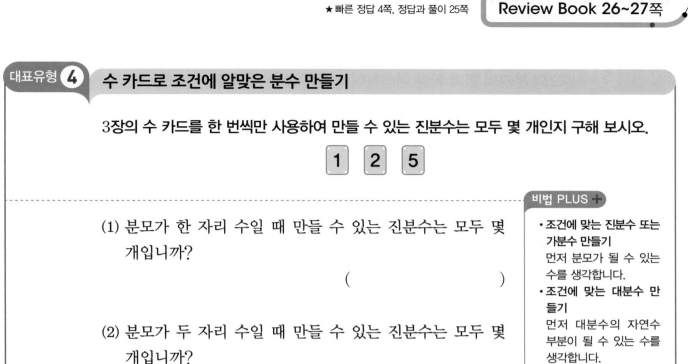

비법 PLUS ✛

- **조건에 맞는 진분수 또는 가분수 만들기**
먼저 분모가 될 수 있는 수를 생각합니다.
- **조건에 맞는 대분수 만들기**
먼저 대분수의 자연수 부분이 될 수 있는 수를 생각합니다.

(1) 분모가 한 자리 수일 때 만들 수 있는 진분수는 모두 몇 개입니까?

(　　　　　　)

(2) 분모가 두 자리 수일 때 만들 수 있는 진분수는 모두 몇 개입니까?

(　　　　　　)

(3) 만들 수 있는 진분수는 모두 몇 개입니까?

(　　　　　　)

유제 **7**　3장의 수 카드를 한 번씩만 사용하여 만들 수 있는 가분수는 모두 몇 개인지 구해 보시오.

2　4　7

(　　　　　　)

● 서술형 문제 ●

유제 **8**　4장의 수 카드 중에서 3장을 뽑아 한 번씩만 사용하여 만들 수 있는 대분수는 모두 몇 개인지 풀이 과정을 쓰고 답을 구해 보시오.

3　5　6　9

풀이

답 _____

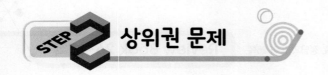
대표유형 5 분모와 분자의 합과 차를 이용하여 알맞은 분수 구하기

분모와 분자의 합이 25이고 차가 7인 진분수를 구해 보시오.

(1) 두 수의 합이 25가 되도록 표를 완성해 보시오.

합이 25인 두 수	6	7	8	9	10
	19				

(2) 위 (1)의 표에서 차가 7인 두 수는 무엇입니까?

( )

(3) 분모와 분자의 합이 25이고 차가 7인 진분수는 무엇입니까?

( )

> **비법 PLUS ✛**
> 두 수의 합이 25가 되도록 표를 만들고 만든 표에서 차가 7인 두 수를 찾아봅니다.

유제 9 분모와 분자의 합이 20이고 차가 4인 가분수를 구해 보시오.

( )

유제 10 분모와 분자의 합이 14이고 차가 8인 가분수를 대분수로 나타내어 보시오.

( )

신유형 6   **색종이의 양을 분수로 나타내기**

그림에서 ①은 색종이 한 장의 $\dfrac{1}{8}$, ②는 $\dfrac{1}{4}$, ③은 $\dfrac{1}{2}$입니다. 주어진 모양을 덮기 위해 필요한 색종이는 색종이 한 장의 얼마만큼인지 가분수로 나타내어 보시오.

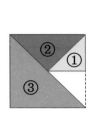

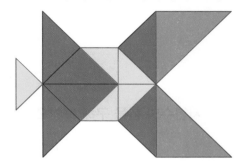

(1) ①로 주어진 모양을 덮으려면 ①은 모두 몇 개 필요합니까?

(   )

(2) 주어진 모양을 덮기 위해 필요한 색종이는 색종이 한 장의 얼마만큼인지 가분수로 나타내어 보시오.

(   )

신유형 PLUS +

먼저 ①로 ②와 ③을 덮으려면 ①은 각각 몇 개 필요한지 알아봅니다.

유제 11   그림에서 ①은 색종이 한 장의 $\dfrac{1}{16}$, ②는 $\dfrac{1}{8}$, ③은 $\dfrac{1}{2}$입니다. 주어진 모양을 덮기 위해 필요한 색종이는 색종이 한 장의 얼마만큼인지 대분수로 나타내어 보시오.

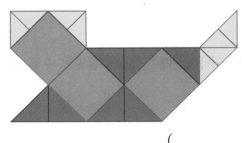

(   )

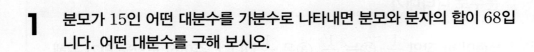

1 분모가 15인 어떤 대분수를 가분수로 나타내면 분모와 분자의 합이 68입니다. 어떤 대분수를 구해 보시오.

( )

2 두 수 사이에 있는 자연수의 합을 구해 보시오.

$$\frac{11}{4} \qquad \frac{52}{7}$$

( )

> ○ 먼저 두 가분수를 대분수로 나타내어 봅니다.

3 리본이 48 m 있습니다. 48 m의 $\frac{3}{8}$만큼은 파란색으로, 48 m의 $\frac{5}{12}$만큼은 노란색으로 염색하고 나머지는 초록색으로 염색했습니다. 어떤 색으로 염색한 리본이 가장 긴지 구해 보시오.

( )

4 두 분수의 분모가 같을 때 ☐ 안에 알맞은 수를 구해 보시오.

$$4\frac{7}{\square} = \frac{43}{\square}$$

( )

> ○ 대분수를 가분수로 나타내었을 때의 분자는 어떻게 나타낼 수 있는지 살펴 두 분수의 분자를 비교해 봅니다.

● 서술형 문제 ●

5 민서는 밤 56개를 한 봉지에 7개씩 담았습니다. 그중 몇 봉지를 친구에게 주었더니 남은 밤이 21개였습니다. 민서가 친구에게 준 밤은 전체 봉지의 몇 분의 몇인지 풀이 과정을 쓰고 답을 구해 보시오.

풀이 _____

_____

_____

답 _____

비법 PLUS ✚

◉ 먼저 밤을 한 봉지에 7개씩 담으면 전체 봉지는 몇 봉지가 되는지 구해 봅니다.

6 어떤 수의 $\dfrac{5}{6}$ 는 20입니다. 어떤 수의 $1\dfrac{1}{2}$ 은 얼마인지 구해 보시오.

(   )

7 어떤 가분수의 분모와 분자의 합은 23이고 차는 9입니다. 이 가분수와 분모가 같으면서 이 가분수보다 크고 3보다 작은 가분수를 모두 구해 보시오.

(   )

• 서술형 문제 •

8 바닥에 닿으면 떨어뜨린 높이의 $\frac{2}{3}$ 만큼 튀어 오르는 공이 있습니다. 이 공을 81 m의 높이에서 떨어뜨렸을 때 두 번째로 튀어 오른 공의 높이는 몇 m인지 풀이 과정을 쓰고 답을 구해 보시오.

비법 PLUS ✚

○ 첫 번째로 튀어 오른 공의 높이는 공이 두 번째로 떨어진 높이와 같습니다.

풀이 _____

_____

_____

답 _____

9 일정한 빠르기로 타는 양초가 있습니다. 이 양초에 불을 붙이고 16분이 지난 뒤 양초의 길이를 재어 보니 처음 양초의 길이의 $\frac{5}{9}$ 가 남았습니다. 남은 양초가 모두 타려면 앞으로 몇 분 더 걸리는지 구해 보시오.

( )

○ ┈┈처음 양초의 길이┈┈
├──────────────┤
16분이 지난
뒤 남은 양초의
길이

16분 동안 탄 양초의 길이는 처음 양초의 길이의 $\frac{4}{9}$ 입니다.

10 자연수 ㉠과 ㉡이 다음 조건을 만족할 때 $\frac{㉠}{㉡}$ 이 가분수가 되는 경우는 모두 몇 가지인지 구해 보시오.

$$8 < ㉠ < 12 \qquad 6 < ㉡ < 11$$

( )

창의융합형 문제

11 삼악산의 등산 안내도입니다. ㉠에서 ㉣까지의 각 구간 중 두 번째로 짧은 구간을 찾아 기호를 써 보시오.

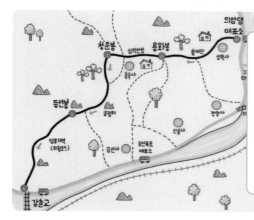

㉠ 의암댐~용화봉: $1\dfrac{8}{15}$ km

㉡ 용화봉~청운봉: $\dfrac{17}{15}$ km

㉢ 청운봉~등선봉: $1\dfrac{6}{15}$ km

㉣ 등선봉~강촌교: $\dfrac{27}{15}$ km

(　　　　　　　　　)

12 에펠 탑은 1889년에 프랑스 혁명 100주년을 기념하여 열린 세계 박람회를 위해 에펠이 세운 탑입니다. 에펠 탑의 바닥부터 제1 전망대까지의 높이는 전체 높이의 약 $\dfrac{3}{16}$으로 약 60 m입니다. 에펠 탑의 제1 전망대부터 꼭대기까지의 높이는 약 몇 m인지 구해 보시오.

(　　　　　　　　　)

▲ 에펠 탑

1 자연수 ㉠과 ㉡이 다음 조건을 만족할 때 ㉡이 될 수 있는 수를 모두 구해 보시오.

$$㉠\frac{3}{8}=\frac{㉡}{8} \qquad 2<㉠<6$$

(   )

2 다음 조건을 만족하는 세 진분수 ㉮, ㉯, ㉰를 각각 구해 보시오.

• 세 진분수의 분모는 모두 23입니다.
• 세 진분수의 분자의 합은 17입니다.
• 세 진분수의 분자는 ㉮가 ㉯보다 3 크고, ㉰가 ㉯보다 2 큽니다.

㉮ (   ), ㉯ (   ), ㉰ (   )

3 오른쪽과 같은 분수가 있습니다. ㉠과 ㉡에 1부터 10까지의 자연수가 들어갈 수 있을 때 만들 수 있는 분수 중에서 가장 작은 분수를 구해 보시오. (단, ㉠>㉡입니다.)

$$\frac{㉠-㉡}{㉠+㉡}$$

(   )

★ 빠른 정답 5쪽, 정답과 풀이 28쪽 Review Book 32~33쪽

4 규칙에 따라 수를 늘어놓은 것입니다. 36번째에 놓일 분수를 대분수로 나타내어 보시오.

$$2,\ 3,\ \frac{3}{2},\ 4,\ \frac{4}{2},\ \frac{4}{3},\ 5,\ \frac{5}{2},\ \frac{5}{3},\ \frac{5}{4}\cdots\cdots$$

(   )

5 꽃집에서 오전에는 새벽에 가져온 장미의 $\frac{3}{4}$만큼을 팔았고, 오후에는 오전에 팔고 남은 장미와 새로 가져온 장미 50송이를 모두 팔았습니다. 오전에 판 장미의 수와 오후에 판 장미의 수가 같을 때 새벽에 가져온 장미는 몇 송이인지 구해 보시오.

(   )

6 바닥에 닿으면 떨어뜨린 높이의 $\frac{3}{5}$만큼 튀어 오르는 공이 있습니다. 오른쪽과 같이 ㉮에서 공을 떨어뜨렸더니 두 번째로 튀어 오른 공과 바닥 ㉣ 사이의 거리가 12 cm였습니다. 처음에 떨어뜨린 공과 바닥 ㉯ 사이의 거리는 몇 cm인지 구해 보시오.

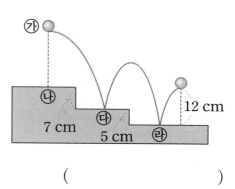

(   )

피에르 드 페르마 (Pierre de Fermat)

- **출생~사망:** 1601~1665
- **국적:** 프랑스
- **업적:** 17세기 최고의 수학자로 손꼽힙니다. 근대의 수론(수의 성질에 대해 연구하는 학문) 및 확률론(어떤 사건이 일어날 가능성의 정도에 대해 연구하는 학문)의 창시자로 알려져 있고, 좌표기하학(도형을 좌표에 나타내고 그 관계를 연구하는 학문)을 확립하는 데도 크게 기여하였습니다.

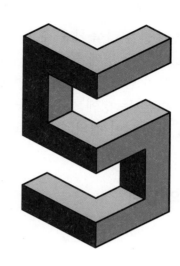

5

들이와 무게

① 들이의 비교

- 한 병에 물을 가득 채운 후 다른 병에 옮겨 담아 비교합니다. → 직접 비교
- 서로 다른 두 병에 물을 가득 채운 후 모양과 크기가 같은 수조 2개에 각각 옮겨 담아 물의 높이를 비교합니다. → 간접 비교
- 서로 다른 두 병에 물을 가득 채운 후 모양과 크기가 같은 작은 컵에 각각 옮겨 담아 컵의 수를 비교합니다. → 임의 단위로 비교

② 들이의 단위

- 1 리터(1 L): $1\,L$
- 1 밀리리터(1 mL): $1\,mL$
- 1 리터는 1000 밀리리터와 같습니다.

$$1 L = 1000 mL$$

- 1 리터 400 밀리리터(1 L 400 mL): 1 L보다 400 mL 더 많은 들이

③ 들이를 어림하고 재어 보기

- 들이를 어림하여 말할 때에는 약 □ L 또는 약 □ mL라고 합니다.
- 들이를 쉽게 알 수 있는 200 mL 우유갑 또는 1 L 물병 등을 이용하여 들이를 어림하고 직접 재어 확인해 봅니다.

④ 들이의 덧셈과 뺄셈

● 들이의 덧셈

L는 L끼리 더하고, mL는 mL끼리 더합니다.

```
     2 L  300  mL          1
                          3 L  500  mL
  +  4 L  600  mL       +  2 L  600  mL
  ─────────────────      ─────────────────
     6 L  900  mL          6 L  100  mL
```
→ mL끼리의 덧셈에서 합이 1000 mL이거나 1000 mL를 넘는 경우는 1 L=1000 mL임을 이용하여 받아올림합니다.

● 들이의 뺄셈

L는 L끼리 빼고, mL는 mL끼리 뺍니다.

```
                          3    1000
     7 L  800  mL          4 L  500  mL
  ─  3 L  100  mL       ─  2 L  600  mL
  ─────────────────      ─────────────────
     4 L  700  mL          1 L  900  mL
```
→ mL끼리의 뺄셈에서 빼는 수가 더 큰 경우는 1 L=1000 mL임을 이용하여 받아내림합니다.

초 6-1 연계

★ **부피의 단위**
1 cm³(1 세제곱센티미터)
: 한 모서리가 1 cm인 정육면체의 부피
└ 정사각형 모양의 면 6개로 둘러싸인 도형

1 cm, 1 cm, 1 cm

 PLUS

★ **들이와 부피의 차이점**
- 들이: 안에 담을 수 있는 양의 크기
- 부피: 겉으로 드러나는 양의 크기

1 대야에 물을 가득 채우려면 ㉮, ㉯, ㉰ 컵으로 다음과 같이 각각 부어야 합니다. 세 컵 중에서 들이가 가장 많은 것은 어느 것입니까?

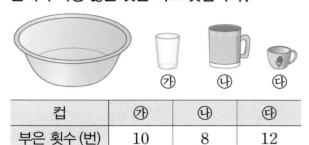

컵	㉮	㉯	㉰
부은 횟수 (번)	10	8	12

(   )

2 3 L의 물이 들어 있는 수조에 920 mL의 물을 더 부었습니다. 수조에 들어 있는 물은 모두 몇 mL가 됩니까?

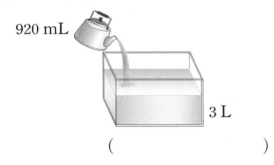

(   )

3 들이가 가장 많은 것과 가장 적은 것의 합은 몇 L 몇 mL입니까?

3060 mL	3 L 400 mL
3040 mL	3 L 600 mL

(   )

4 재하와 소율이는 서로 다른 물건의 들이를 각각 어림하고 직접 재었습니다. 직접 잰 들이와 더 가깝게 어림한 사람은 누구입니까?

이름	어림한 들이	직접 잰 들이
재하	2 L 150 mL	2 L
소율	800 mL	1 L

(   )

5 효빈이는 1 L 200 mL짜리 음료수를 사서 친구 3명에게 250 mL씩 나누어 주었습니다. 남은 음료수는 몇 mL입니까?

(   )

6 3 L 500 mL의 물이 들어 있는 생수통이 있습니다. 현주네 가족이 생수통에 들어 있는 물을 1 L 800 mL만큼 마신 다음 850 mL의 물을 생수통에 부었습니다. 생수통에 들어 있는 물은 몇 L 몇 mL가 됩니까?

(   )

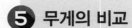

5 무게의 비교

- 양손에 물건을 하나씩 들어서 비교합니다. —•직접 비교
- 저울 위에 물건을 하나씩 올려놓아 비교합니다. —•간접 비교
- 바둑돌이나 동전과 같이 무게가 일정한 물건을 임의 단위로 사용하여 비교합니다. —•임의 단위로 비교

6 무게의 단위

- 1 킬로그램(1 kg): **1kg**
- 1 그램(1 g): **1g**

- 1 킬로그램은 1000 그램과 같습니다. $1\ kg = 1000\ g$

- 1 킬로그램 600 그램(1 kg 600 g): 1 kg보다 600 g 더 무거운 무게

- 1 톤(1 t): **1t**

- 1 톤은 1000 킬로그램과 같습니다. $1\ t = 1000\ kg$

개념 PLUS⁺

★ 무게의 단위 사이의 관계

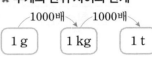

7 무게를 어림하고 재어 보기

- 무게를 어림하여 말할 때에는 약 ☐ kg 또는 약 ☐ g이라고 합니다.
- 무게를 쉽게 알 수 있는 100 g짜리 추 또는 1 kg짜리 물병 등을 이용하여 무게를 어림하고 직접 재어 확인해 봅니다.

초 5-2 연계

★ 어림하기
- 올림: 구하려는 자리 아래의 수를 올려서 나타내는 방법
  예 174 ⇨ 180
- 버림: 구하려는 자리 아래의 수를 버려서 나타내는 방법
  예 352 ⇨ 350

8 무게의 덧셈과 뺄셈

⊙ 무게의 덧셈

> kg은 kg끼리 더하고, g은 g끼리 더합니다.

```
    1 kg  200 g              1 kg  600 g
  + 5 kg  300 g            + 3 kg  800 g
  ─────────────            ─────────────
    6 kg  500 g              5 kg  400 g
```
—• g끼리의 덧셈에서 합이 1000 g이거나 1000 g을 넘는 경우는 1 kg=1000 g임을 이용하여 받아올림합니다.

⊙ 무게의 뺄셈

> kg은 kg끼리 빼고, g은 g끼리 뺍니다.

```
    6 kg  700 g              7 kg  400 g
  - 4 kg  200 g            - 2 kg  500 g
  ─────────────            ─────────────
    2 kg  500 g              4 kg  900 g
```
—• g끼리의 뺄셈에서 빼는 수가 더 큰 경우는 1 kg=1000 g임을 이용하여 받아내림합니다.

★ 빠른 정답 5쪽, 정답과 풀이 30쪽

1 귤과 토마토 1개의 무게를 비교하려고 합니다. 무게가 더 무거운 것은 어느 것입니까? (단, 귤과 토마토의 무게는 각각 같습니다.)

귤 3개   토마토 2개

(   )

2 파인애플을 오른쪽 그릇에 담아 무게를 재면 몇 kg 몇 g이 되겠습니까?

(   )

3 실제 무게가 4 kg인 물건의 무게를 어림한 것입니다. 실제 무게와 가장 가깝게 어림한 사람은 누구입니까?

이름	어림한 무게
지희	4 kg 300 g
명수	5 kg
정아	3800 g

(   )

4 무게가 가벼운 것부터 차례대로 기호를 써 보시오.

㉠ 5020 g	㉡ 5 kg 200 g
㉢ 50 kg 20 g	㉣ 5 t

(   )

5 ☐ 안에 알맞은 수를 써넣으시오.

$$\begin{array}{r} \boxed{}\ \text{kg} \quad 620\ \text{g} \\ -\quad 4\ \text{kg} \quad \boxed{}\ \text{g} \\ \hline 3\ \text{kg} \quad 780\ \text{g} \end{array}$$

6 빈 통에 똑같은 유리구슬 8개를 넣어 무게를 재어 보았더니 2 kg이었습니다. 빈 통의 무게가 1 kg 200 g일 때, 유리구슬 1개의 무게는 몇 g입니까?

(   )

상위권 문제

대표유형 1 덜어 내거나 부어야 하는 횟수 구하기

그릇에 가득 채워진 물을 가 컵에 가득 담아 14번 덜어 내면 물이 남지 않습니다. 나 컵의 들이가 가 컵의 들이의 2배일 때, 똑같은 그릇에 물을 가득 채운 다음 나 컵에 가득 담아 모두 덜어 내려면 몇 번 덜어 내야 하는지 구해 보시오.

(1) ☐ 안에 알맞은 수를 써넣으시오.

> 가 컵에 가득 담아 2번 덜어 낸 물의 양은 나 컵에 가득 담아 ☐ 번 덜어 낸 물의 양과 같습니다.

(2) 똑같은 그릇에 물을 가득 채운 다음 나 컵에 가득 담아 모두 덜어 내려면 몇 번 덜어 내야 합니까?

(   )

비법 PLUS +

그릇에 가득 채워진 물을 덜어 낼 때 사용한 컵의 들이가 적을수록 덜어 낸 횟수가 많고, 사용한 컵의 들이가 많을수록 덜어 낸 횟수가 적습니다.

유제 1 빈 주전자에 물을 가득 채우려면 가 그릇에 물을 가득 담아 15번 부어야 합니다. 들이가 가 그릇의 5배인 나 그릇을 사용하여 빈 주전자에 물을 가득 채우려면 적어도 몇 번 부어야 하는지 구해 보시오.

(   )

유제 2 컵과 물병에 물을 가득 담아 모양과 크기가 같은 빈 수조에 각각 물이 가득 찰 때까지 부은 횟수는 다음과 같습니다. 컵에 물을 가득 담아 빈 물병에 물을 가득 채우려면 몇 번 부어야 하는지 구해 보시오.

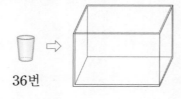

36번

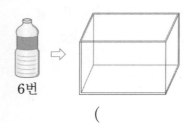

6번

(   )

대표유형 2   무게의 계산을 이용하여 문제 해결하기

동민이네 아파트에서는 매주 재활용품을 분류하여 모읍니다. 플라스틱류를 지난주에는 14 kg 650 g 모았고, 이번 주에는 지난주보다 2 kg 550 g 더 많이 모았습니다. 동민이네 아파트에서 지난주와 이번 주에 모은 플라스틱류는 모두 몇 kg 몇 g인지 구해 보시오.

(1) 이번 주에 모은 플라스틱류는 몇 kg 몇 g입니까?

(   )

(2) 지난주와 이번 주에 모은 플라스틱류는 모두 몇 kg 몇 g 입니까?

(   )

> **비법 PLUS ➕**
>
> (이번 주에 모은 플라스틱류의 무게)
> ＝(지난주에 모은 플라스틱류의 무게)
>   ＋2 kg 550 g

유제 3   보원이가 책가방을 메고 저울에 올라가면 무게가 40 kg 750 g이고, 사전을 들고 저울에 올라가면 무게가 39 kg 190 g입니다. 책가방의 무게가 2 kg 530 g일 때, 사전의 무게는 몇 g인지 구해 보시오.

(   )

● 서술형 문제 ●

유제 4   가방의 무게가 10 kg이 넘으면 비행기 기내에 가지고 탈 수 없다고 합니다. 혜영이는 무게가 1 kg 750 g인 빈 가방에 다음과 같은 물건을 담았습니다. 이 가방을 비행기 기내에 가지고 타려면 가방에 더 담을 수 있는 짐의 무게는 몇 kg 몇 g인지 풀이 과정을 쓰고 답을 구해 보시오.

의류 880 g   노트북 1 kg 300 g

풀이 _____

_____

_____

답 _____

대표유형 **3** 들이의 계산을 이용하여 문제 해결하기

10 L의 물이 들어 있는 수조에서 들이가 150 mL인 그릇으로 물을 가득 담아 5번 덜어 내고, 들이가 300 mL인 그릇으로 물을 가득 담아 7번 덜어 냈습니다. 수조에 남아 있는 물은 몇 L 몇 mL인지 구해 보시오.

(1) 수조에서 덜어 낸 물은 모두 몇 L 몇 mL입니까?

(   )

(2) 수조에 남아 있는 물은 몇 L 몇 mL입니까?

(   )

비법 PLUS +

(수조에서 덜어 낸 물의 양)
=(들이가 150 mL인 그릇으로 덜어 낸 물의 양)
+(들이가 300 mL인 그릇으로 덜어 낸 물의 양)

유제 **5** 2 L 250 mL의 물이 들어 있는 물통에 들이가 200 mL인 그릇으로 물을 가득 담아 6번 붓고, 들이가 250 mL인 그릇으로 물을 가득 담아 2번 부었습니다. 물통에 들어 있는 물은 모두 몇 L 몇 mL가 되는지 구해 보시오.

(   )

유제 **6** 들이가 12 L인 빈 그릇에 들이가 1 L 500 mL인 페트병으로 물을 가득 담아 3번 붓고, 2270 mL의 물을 더 부었습니다. 이 그릇을 가득 채우려면 몇 L 몇 mL의 물을 더 부어야 하는지 구해 보시오.

(   )

대표유형 4 빈 바구니의 무게 구하기

빈 바구니에 무게가 같은 귤 8개를 담은 후 무게를 재어 보니 3 kg 250 g이었습니다. 그중에서 귤 3개를 꺼내 먹은 후 다시 무게를 재어 보니 2 kg 350 g이었습니다. 빈 바구니의 무게는 몇 g인지 구해 보시오.

(1) 귤 3개의 무게는 몇 g입니까?

( )

(2) 귤 1개의 무게는 몇 g입니까?

( )

(3) 빈 바구니의 무게는 몇 g입니까?

( )

비법 PLUS ➕

(바구니와 귤 8개의 무게)
− (귤 3개의 무게)
―――――――――――
(바구니와 귤 5개의 무게)

유제 7 빈 상자에 똑같은 장난감 4개를 담은 후 무게를 재어 보니 2 kg 10 g이었습니다. 여기에 똑같은 장난감 2개를 더 담은 후 다시 무게를 재어 보니 2 kg 810 g이었습니다. 빈 상자의 무게는 몇 g인지 구해 보시오.

( )

유제 8 빈 유리병에 설탕을 가득 담은 후 무게를 재어 보니 4 kg이었고, 담은 설탕의 $\frac{1}{2}$을 덜어 낸 후 다시 무게를 재어 보니 2 kg 750 g이었습니다. 빈 유리병의 무게는 몇 kg 몇 g인지 구해 보시오.

( )

대표유형 **5** 두 그릇에 담긴 물의 양을 같게 하기

물이 ㉮ 그릇에는 17 L 200 mL 들어 있고, ㉯ 그릇에는 12 L 200 mL 들어 있습니다. 두 그릇에 들어 있는 물의 양을 같게 하려면 ㉮ 그릇에서 ㉯ 그릇으로 물을 몇 L 몇 mL 옮기면 되는지 구해 보시오.

(1) 두 그릇에 들어 있는 물의 양의 차는 몇 L입니까?

(   )

(2) 두 그릇에 들어 있는 물의 양을 같게 하려면 ㉮ 그릇에서 ㉯ 그릇으로 물을 몇 L 몇 mL 옮기면 됩니까?

(   )

> **비법 PLUS +**
>
> 두 그릇에 들어 있는 물의 양의 차를 구한 다음 많은 쪽에서 적은 쪽으로 차의 절반을 옮기면 물의 양이 같아집니다.

유제 **9** 물이 ㉮ 수조에는 8 L 700 mL 들어 있고, ㉯ 수조에는 12 L 100 mL 들어 있습니다. 두 수조에 들어 있는 물의 양을 같게 하려면 ㉯ 수조에서 ㉮ 수조로 물을 몇 L 몇 mL 옮기면 되는지 구해 보시오.

(   )

유제 **10** 물을 지아는 4 L, 종수는 3 L 500 mL 가지고 있었는데 지아가 가지고 있던 물 중에서 1200 mL를 사용했습니다. 두 사람이 가지고 있는 물의 양을 같게 하려면 종수는 지아에게 물을 몇 mL 주면 되는지 구해 보시오.

(   )

대표유형 6   저울의 수평을 이용하여 무게 구하기

복숭아 1개의 무게가 320 g일 때, 참외 1개의 무게는 몇 g인지 구해 보시오. (단, 복숭아, 토마토, 참외의 무게는 각각 같습니다.)

복숭아 3개   토마토 5개   토마토 4개   참외 3개

   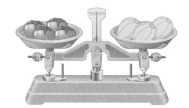

(1) 토마토 1개의 무게는 몇 g입니까?

(   )

(2) 참외 1개의 무게는 몇 g입니까?

(   )

비법 PLUS +

저울이 수평을 이루면 양쪽의 무게는 같습니다.

㉮   ㉯

(㉮의 무게)=(㉯의 무게)

유제 **11**   배 1개의 무게가 450 g일 때, 귤 1개의 무게는 몇 g인지 구해 보시오. (단, 배, 사과, 귤의 무게는 각각 같습니다.)

배 2개   사과 3개   사과 2개   귤 5개

(   )

유제 **12**   저울의 양쪽에 지우개 5개와 딱풀 4개를 각각 올렸더니 수평이 되었고, 딱풀 5개와 가위 2개를 각각 올렸더니 수평이 되었습니다. 지우개 1개의 무게가 160 g일 때, 가위 1개의 무게는 몇 g인지 구해 보시오. (단, 지우개, 딱풀, 가위의 무게는 각각 같습니다.)

(   )

대표유형 **7**   물을 가득 채우는 데 걸리는 시간 구하기

1초에 500 mL씩 물이 나오는 수도가 있습니다. 1초에 50 mL씩 물이 새는 들이가 9 L인 빈 통에 이 수도에서 나오는 물을 받으려고 합니다. 통에 물을 가득 채우려면 몇 초가 걸리는지 구해 보시오.

(1) 1초 동안 통에 채워지는 물은 몇 mL입니까?

(   )

(2) 통에 물을 가득 채우려면 몇 초가 걸리겠습니까?

(   )

> **비법 PLUS +**
>
> 1초 동안 통에 채워지는 물의 양을 먼저 구한 다음 몇 초 동안 받아야 빈 통에 물을 가득 채울 수 있는지 알아봅니다.

유제 **13**   1분에 7 L씩 물이 나오는 수도가 있습니다. 1분에 1 L 500 mL씩 물이 새는 들이가 33 L인 빈 대야에 이 수도에서 나오는 물을 받으려고 합니다. 대야에 물을 가득 채우려면 몇 분이 걸리는지 구해 보시오.

(   )

● 서술형 문제 ●

유제 **14**   차가운 물이 나오는 수도에서는 물이 1분에 2 L 700 mL씩 나오고, 뜨거운 물이 나오는 수도에서는 물이 1분에 2 L 300 mL씩 나옵니다. 1분에 750 mL씩 물이 빠지는 들이가 170 L인 빈 욕조에 두 수도를 동시에 틀어 물을 받으려고 합니다. 욕조에 물을 가득 채우려면 몇 분이 걸리는지 풀이 과정을 쓰고 답을 구해 보시오.

풀이 _____

_____

_____

답 _____

신유형 8 추와 윗접시저울로 무게를 잴 수 없는 물건 찾기

무게가 100 g, 400 g인 추가 각각 1개씩 있습니다. 이 추와 윗접시저울을 사용하여 다음 물건의 무게를 잴 때, 무게를 잴 수 <u>없는</u> 물건은 어느 것인지 구해 보시오.

볼펜 200 g

딱풀 300 g

계산기 500 g

(1) 주어진 추를 1개만 사용하여 잴 수 있는 무게를 모두 써 보시오.

( )

(2) 주어진 추 2개를 동시에 사용하여 잴 수 있는 무게를 모두 써 보시오.

( )

(3) 주어진 추를 사용하여 무게를 잴 수 <u>없는</u> 물건은 어느 것입니까?

( )

신유형 PLUS +

윗접시저울의 양쪽에 무게가 ■ g, ● g인 추를 각각 올리고 가벼운 추를 올린 접시 위에 물건을 올렸을 때 저울이 수평을 이루면 물건의 무게는 두 추 무게의 차와 같습니다.

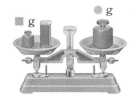

⇨ (물건의 무게)
  = ● g − ■ g

유제 15 무게가 200 g, 300 g, 500 g인 추가 각각 1개씩 있습니다. 이 추와 윗접시저울을 사용하여 다음 물건의 무게를 잴 때, 무게를 잴 수 <u>없는</u> 물건은 어느 것인지 구해 보시오.

손목시계 300 g

인형 600 g

접시 900 g

로봇 1 kg

( )

1 생수통, 꽃병, 어항에 물을 가득 채운 후 똑같은 컵에 각각 옮겨 담았더니 가득 찬 컵의 수가 생수통은 9개가 되었고 꽃병은 생수통보다 3개 더 적었으며 어항은 꽃병보다 5개 더 많았습니다. 생수통, 꽃병, 어항 중에서 들이가 가장 많은 것은 어느 것인지 구해 보시오.

( )

비법 PLUS **+**

2 처음 병에 들어 있던 우유의 절반을 우진이가 마시고, 나머지의 절반을 동생이 마셨더니 650 mL가 남았습니다. 처음 병에 들어 있던 우유는 몇 L 몇 mL인지 구해 보시오.

( )

○ 그림을 그려서 거꾸로 생각하여 문제를 해결합니다.

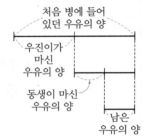

3 삼촌의 몸무게는 희진이 몸무게의 2배보다 3 kg 800 g 더 무겁습니다. 희진이의 몸무게가 29 kg 700 g일 때, 삼촌의 몸무게는 몇 kg 몇 g인지 구해 보시오.

( )

○ ■의 2배는 ■＋■와 같습니다.

● 서술형 문제 ●

4 주스가 2 L 400 mL 있었습니다. 이 중에서 선미가 850 mL를 마셨고, 형석이는 선미보다 200 mL 더 많이 마셨습니다. 두 사람이 마시고 남은 주스는 몇 mL인지 풀이 과정을 쓰고 답을 구해 보시오.

풀이

답

★ 빠른 정답 5쪽, 정답과 풀이 33쪽

5 지우네 마을 세 가구에서 수확한 귤을 모두 보관하려면 3 t까지 보관할 수 있는 창고가 적어도 몇 채 필요한지 구해 보시오.

비법 PLUS +

귤 수확량

가구 이름	지우네	현서네	우진이네
수확량(kg)	2570	3000	4430

( )

• 서술형 문제 •

6 밭에서 캔 감자 20 kg 800 g을 미영이와 은지가 나누어 가지려고 합니다. 은지가 미영이보다 2600 g 더 많이 가져간다고 할 때, 은지가 가져가는 감자는 몇 kg 몇 g인지 풀이 과정을 쓰고 답을 구해 보시오.

○ 밭에서 캔 감자의 무게와 은지가 더 가져가는 감자의 무게의 차를 이용하여 미영이가 가져가는 감자의 무게를 먼저 구합니다.

풀이 _____

_____

_____

답 _____

7 물이 ㉮ 물통에는 5 L 300 mL 들어 있고, ㉯ 물통에는 2 L 800 mL 들어 있었는데 ㉮ 물통에서는 물을 700 mL 덜어 내고, ㉯ 물통에는 물을 400 mL 더 부었습니다. 두 물통에 들어 있는 물의 양을 같게 하려면 ㉮ 물통에서 ㉯ 물통으로 물을 몇 mL 옮기면 되는지 구해 보시오.

( )

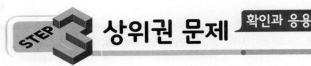
8 들이가 6 L인 빈 물통에 물을 들이가 300 mL인 컵으로 가득 담아 3번 붓고, 들이가 400 mL인 컵으로 가득 담아 4번 부었습니다. 이 물통에 물을 가득 채우려면 들이가 500 mL인 컵으로 적어도 몇 번 더 부어야 하는지 구해 보시오.

(   )

비법 PLUS +

9 윗접시저울에 올려진 공 ㉮, ㉯, ㉰, ㉱의 무게는 서로 다르고 10 g, 15 g, 25 g, 30 g 중 하나입니다. 공 ㉮, ㉯, ㉰, ㉱의 무게를 각각 구해 빈칸에 알맞은 수를 써넣으시오.

○ 저울이 수평일 때, 저울의 양쪽에 올려진 물건의 무게는 같다는 것을 이용하여 식을 만들어 해결합니다.

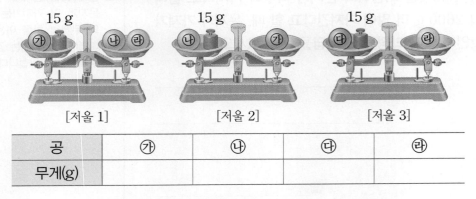

공	㉮	㉯	㉰	㉱
무게(g)				

10 다음을 읽고 귤 1개의 무게는 몇 g인지 구해 보시오. (단, 귤, 사과, 배의 무게는 각각 같습니다.)

- 귤 5개와 사과 3개의 무게는 같습니다.
- 사과 4개와 배 2개의 무게는 같습니다.
- 사과 4개와 배 4개의 무게의 합은 3000 g입니다.

(   )

창의융합형 문제

11 설날은 우리나라 최대의 명절입니다. 이 날은 웃어른들에게 세배하고 떡국을 먹는 풍습이 있습니다. 다음은 떡국 2인분을 만드는 데 필요한 재료입니다. 떡국 7인분을 만드는 데 필요한 물은 몇 L 몇 mL인지 구해 보시오. (단, 계량 단위는 1컵이 200 mL, 1큰술이 15 mL입니다.)

[떡국 재료]
떡국 떡 400 g,
소고기 200 g,
물 4컵,
참기름 1큰술,
국간장 1큰술,
달걀, 소금, 김가루 등

(   )

창의융합 PLUS +

○ **설날**
음력 1월 1일로 아이들은 설빔이라고 하는 새 옷을 입고 어른들에게 세배를 합니다. 세배를 받은 어른들은 아이들에게 복을 비는 마음을 담아 덕담을 하고 세뱃돈을 주기도 합니다. 설날에 하는 놀이에는 윷놀이, 널뛰기, 연날리기 등이 있습니다.

12 우리 조상들이 쓰던 무게의 단위에는 근, 관 등이 있으며 지금도 고기나 채소를 살 때는 이 단위를 많이 사용합니다. 근, 관을 g과 kg을 사용하여 나타내면 고기 한 근은 600 g, 채소 한 관은 3 kg 750 g입니다. 다음은 수

홍이 어머니께서 시장에서 사신 물건과 무게를 나타낸 것입니다. 수홍이 어머니께서 사신 물건은 모두 몇 kg 몇 g인지 구해 보시오.

물건	돼지고기	양파
무게	3근	1관

(   )

○ **근, 관**
무게의 단위로 한 근은 고기나 한약재의 무게를 잴 때는 600 g에 해당하고, 과일이나 채소 등의 무게를 잴 때는 375 g에 해당합니다.
관은 과일이나 채소 등의 무게를 잴 때에만 사용하며 한 관은 한 근의 10배의 무게와 같습니다.

1 선영이와 정수의 몸무게의 합은 72 kg 350 g이고, 정수와 민희의 몸무게의 합은 68 kg 600 g, 민희와 선영이의 몸무게의 합은 69 kg 50 g입니다. 세 사람의 몸무게의 합은 몇 kg인지 구해 보시오.

(   )

2 어머니께서 주스를 만들어 ㉮, ㉯, ㉰ 세 병에 모두 나누어 담았습니다. ㉯ 병에 담은 주스는 ㉮ 병에 담은 주스보다 200 mL 더 많고, ㉰ 병에 담은 주스보다 250 mL 더 적습니다. 어머니께서 만든 주스가 모두 3 L 350 mL일 때, ㉯ 병에 담은 주스는 몇 L 몇 mL인지 구해 보시오.

(   )

3 어느 항공사에서는 짐을 부칠 때 요금을 따로 내야 한다고 합니다. 여행객 한 사람당 20 kg까지의 짐에는 4000원의 기본요금을 내고, 500 g이 추가될 때마다 400원씩 추가 요금을 내야 한다고 합니다. 다영이가 이 항공사의 비행기를 타려고 짐을 부치는 데 6000원의 요금을 냈다면 다영이가 부친 짐은 몇 kg 몇 g인지 구해 보시오. (단, 짐의 무게는 500 g씩 늘어납니다.)

(   )

4 물이 1분에 가 수도에서는 $3 L\ 500\ mL$씩 나오고, 나 수도에서는 가 수도의 2배만큼씩 나옵니다. 가와 나 수도를 다음과 같이 틀어서 받은 물의 양의 합이 $35 L$일 때, 나 수도만 튼 시간은 몇 분인지 구해 보시오. (단, 수도에서 나오는 물의 양은 각각 일정합니다.)

가 수도만 튼 시간	가와 나 수도를 모두 튼 시간	나 수도만 튼 시간
3분	1분	

(   )

5 항아리에 물 $5 L$가 들어 있습니다. 그중에서 은교가 전체의 $\dfrac{1}{10}$만큼을 가져가고, 지후는 은교가 가져가고 남은 물의 $\dfrac{1}{5}$만큼을, 경민이는 은교와 지후가 가져가고 남은 물의 $\dfrac{1}{4}$만큼을 가져갔습니다. 항아리에 남은 물은 몇 L 몇 mL인지 구해 보시오.

(   )

6 $1 g$, $5 g$, $10 g$, $25 g$짜리 추가 각각 50개씩 있습니다. 윗접시저울의 한쪽에만 추를 올려 $25 g$인 물건의 무게를 재는 방법은 모두 몇 가지인지 구해 보시오.

(   )

아우구스트 뫼비우스 (August Ferdinand Möbius)

● **출생~사망:** 1790~1868

● **국적:** 독일

● **업적:** 직사각형 모양의 띠 양끝을 그대로 붙이면 보통의 띠가 되지만 직사각형 모양의 띠의 끝을 한 번 꼬아서 붙이면 안과 밖의 구별이 없이 한쪽 면만을 가진 새로운 곡면인 '뫼비우스의 띠'를 고안했습니다.

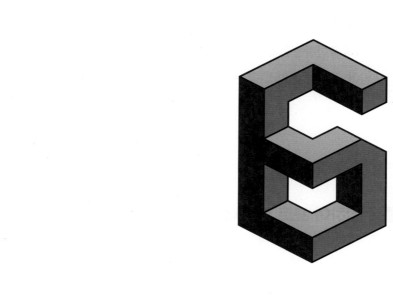

6

자료의 정리

1 표의 내용 알아보기

학생들이 좋아하는 동물

동물	고양이	강아지	병아리	합계
학생 수(명)	6	11	8	25

• 고양이를 좋아하는 학생은 6명입니다.
• 좋아하는 학생 수가 많은 동물부터 순서대로 쓰면 강아지, 병아리, 고양이입니다.

개념 PLUS+

★ 표의 특징
• 각 항목별 조사한 수를 알기 쉽습니다.
• 조사한 수의 합계를 알기 쉽습니다.

2 자료를 수집하여 표로 나타내기

① 조사할 내용을 정합니다.

② 자료의 수집 방법을 정하고 자료를 수집합니다.

③ 수집한 자료를 정리하여 표로 나타냅니다.

3 그림그래프 알아보기

◉ 그림그래프: 알려고 하는 수(조사한 수)를 그림으로 나타낸 그래프

마을별 초등학생 수

마을	초등학생 수
해	😊 😊 😊 😊😊
달	😊 😊 😊😊😊
별	😊 😊 😊 😊

😊 10명
😊 1명

• 그림 😊은 10명, 😊은 1명을 나타냅니다.
• 해 마을의 초등학생 수는 32명입니다.
• 초등학생 수가 가장 많은 마을은 해 마을입니다.

개념 PLUS+

★ 그림그래프의 특징
• 자료의 특징에 알맞은 그림으로 나타내어 어떤 자료에 대한 내용인지 알기 쉽습니다.
• 항목별 크기를 한눈에 비교하기 쉽습니다.

4 그림그래프로 나타내기

① 그림을 몇 가지로 나타낼 것인지 정합니다.

② 어떤 그림으로 나타낼 것인지 정합니다.

③ 그림으로 나타낼 단위는 어떻게 할 것인지 정합니다.

도서관에서 빌려간 책의 수

월	3월	4월	5월	합계
책의 수(권)	23	13	31	67

⇒

도서관에서 빌려간 책의 수

월	책의 수
3월	📕 📕 📘 📘 📘
4월	📕 📘 📘 📘
5월	📕 📕 📕 📘

📕 10권
📘 1권

초 4-1 연계 ⤴

막대그래프: 조사한 자료를 막대 모양으로 나타낸 그래프

학생들이 좋아하는 색깔

[1~3] 현준이는 채소 가게에 갔습니다. 물음에 답하시오.

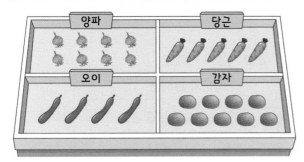

1 채소 가게에 있는 채소의 수를 표로 나타내어 보시오.

종류별 채소의 수

종류	양파	당근	오이	감자	합계
채소 수 (개)					

2 양파는 오이보다 몇 개 더 많습니까?

( )

3 위 1의 표를 보고 알 수 있는 내용을 두 가지 써 보시오.

답

[4~6] 마을별 나무 수를 조사하여 표로 나타내었습니다. 물음에 답하시오.

마을별 나무 수

마을	장수	햇살	초록	샘터	합계
나무 수(그루)	36	48		25	146

4 초록 마을의 나무는 몇 그루입니까?

( )

5 표를 보고 그림그래프를 완성해 보시오.

마을별 나무 수

마을	나무 수
장수	◎ ◎ ◎ ○ ○ ○ ○ ○ ○ ○
햇살	
초록	
샘터	

◎ 10그루 ○ 1그루

6 표를 보고 ◎은 10그루, △은 5그루, ○은 1그루로 하여 그림그래프로 나타내어 보시오.

마을별 나무 수

마을	나무 수
장수	
햇살	
초록	
샘터	

◎ 10그루 △ 5그루 ○ 1그루

상위권 문제

그림그래프 항목의 합 또는 차 구하기

어느 자동차 회사의 월별 자동차 판매량을 조사하여 그림그래프로 나타내었습니다. 판매량이 가장 많은 달과 가장 적은 달의 자동차 판매량의 차는 몇 대인지 구해 보시오.

월별 자동차 판매량

월	자동차 판매량
3월	
4월	
5월	
6월	

🚗 10대
🚙 1대

(1) 판매량이 가장 많은 달과 가장 적은 달의 자동차 판매량은 각각 몇 대인지 차례로 써 보시오.

(,)

(2) 판매량이 가장 많은 달과 가장 적은 달의 자동차 판매량의 차는 몇 대입니까?

( )

비법 PLUS ➕

항목의 크기 비교하기
① 큰 그림의 수를 비교합니다.
② 큰 그림의 수가 같으면 작은 그림의 수를 비교합니다.

유제 ①

● 서술형 문제 ●

지역별 의료 기관의 수를 조사하여 그림그래프로 나타내었습니다. 의료 기관이 가장 많은 지역과 두 번째로 적은 지역의 의료 기관의 수의 합은 몇 곳인지 풀이 과정을 쓰고 답을 구해 보시오.

지역별 의료 기관의 수

지역	의료 기관의 수
가	
나	
다	
라	

➕ 100곳
➕ 10곳

풀이

답

★ 빠른 정답 6쪽, 정답과 풀이 36쪽

대표유형 2 그림이 나타내는 수를 모를 때 항목의 수 구하기

승기네 학교 3학년의 반별 학급 문고 수를 조사하여 그림그래프로 나타내었습니다. 1반의 학급 문고가 35권이라면 3반의 학급 문고는 몇 권인지 구해 보시오. (단, 큰 그림이 나타내는 수는 작은 그림이 나타내는 수의 10배입니다.)

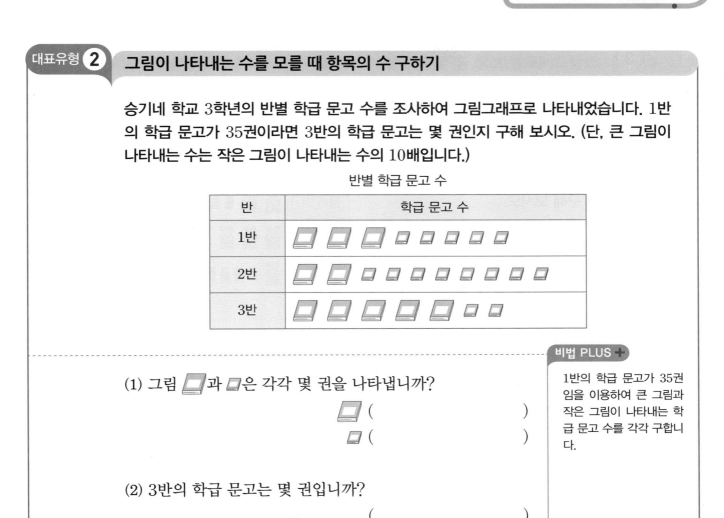

반별 학급 문고 수

반	학급 문고 수
1반	
2반	
3반	

비법 PLUS ✚

1반의 학급 문고가 35권임을 이용하여 큰 그림과 작은 그림이 나타내는 학급 문고 수를 각각 구합니다.

(1) 그림 📕과 📖은 각각 몇 권을 나타냅니까?

📕 (   )

📖 (   )

(2) 3반의 학급 문고는 몇 권입니까?

(   )

유제 2 어느 마을에서 키우는 목장별 젖소 수를 조사하여 그림그래프로 나타내었습니다. 가람 목장에서 키우는 젖소가 240마리라면 푸른 목장에서 키우는 젖소는 몇 마리인지 구해 보시오. (단, 큰 그림이 나타내는 수는 작은 그림이 나타내는 수의 10배입니다.)

목장별 젖소 수

목장	젖소 수
푸른	
건강	
행운	
가람	

(   )

대표유형 3 그림그래프를 보고 금액 구하기

어느 가게에서 하루 동안 팔린 젤리의 수를 조사하여 그림그래프로 나타내었습니다. 젤리 한 개의 값은 80원입니다. 팔린 젤리의 값은 모두 얼마인지 구해 보시오.

하루 동안 팔린 젤리의 수

맛	젤리의 수
사과 맛	
딸기 맛	
포도 맛	
자두 맛	

🐻 10개
🐻 1개

(1) 팔린 젤리는 모두 몇 개입니까?

(   )

(2) 팔린 젤리의 값은 모두 얼마입니까?

(   )

비법 PLUS ✛

(팔린 젤리의 값)
＝(젤리 한 개의 값)
 ×(팔린 젤리의 수)

유제 3

• 서술형 문제 •

공장별 밀가루 생산량을 조사하여 그림그래프로 나타내었습니다. 밀가루를 모두 모아 3 kg씩 봉지에 담으려고 합니다. 필요한 봉지는 모두 몇 개인지 풀이 과정을 쓰고 답을 구해 보시오.

공장별 밀가루 생산량

공장	밀가루 생산량
가	
나	
다	
라	

🌾 100 kg
🌾 10 kg

풀이 _____

_____

_____

답 _____

대표유형 ④ 조사한 내용을 보고 표 완성하기

연지네 학교 3학년 학생들이 체험하고 싶은 올림픽 종목을 조사하였습니다. 조사한 내용을 보고 표를 완성해 보시오.

- 수영을 체험하고 싶은 여학생 수는 탁구를 체험하고 싶은 여학생 수의 2배입니다.
- 탁구를 체험하고 싶은 남녀 학생 수의 합은 양궁을 체험하고 싶은 남녀 학생 수의 합과 같습니다.

학생들이 체험하고 싶은 올림픽 종목

종목	양궁	수영	탁구	유도	합계
남학생 수 (명)	14	18		10	
여학생 수 (명)	19		12	7	

비법 PLUS ➕

- (수영을 체험하고 싶은 여학생 수)
  =(탁구를 체험하고 싶은 여학생 수)×2
- (탁구를 체험하고 싶은 남학생 수)
  =(양궁을 체험하고 싶은 남녀 학생 수의 합)
   ㅡ(탁구를 체험하고 싶은 여학생 수)

(1) 수영을 체험하고 싶은 여학생은 몇 명입니까?

(   )

(2) 탁구를 체험하고 싶은 남학생은 몇 명입니까?

(   )

(3) 표를 완성해 보시오.

  은우네 반과 재희네 반 학생들의 혈액형을 조사하였습니다. 조사한 내용을 보고 표를 완성해 보시오.

- 은우네 반의 A형인 학생 수는 AB형인 학생 수의 3배입니다.
- 두 반의 A형인 학생 수의 합은 B형인 학생 수의 합보다 4명 더 적습니다.

학생들의 혈액형

혈액형	A형	B형	O형	AB형	합계
은우네 반 학생 수(명)	9	10	6		
재희네 반 학생 수(명)		12	5	5	

대표유형 **5** 모르는 항목의 수를 구하여 그림그래프 완성하기

어느 꽃집에서 하루 동안 팔린 꽃의 수를 조사하여 그림그래프로 나타내었습니다. 팔린 장미의 수는 팔린 백합의 수보다 4송이 더 많고 팔린 꽃은 모두 40송이입니다. 그림그래프를 완성해 보시오.

하루 동안 팔린 꽃의 수

종류	꽃의 수
장미	
튤립	◎ ○ ○ ○ ○
백합	
국화	◎ ◎ ○

◎ 5송이
○ 1송이

(1) 팔린 튤립과 국화는 각각 몇 송이입니까?

튤립 (   )

국화 (   )

(2) 팔린 장미와 백합은 각각 몇 송이입니까?

장미 (   )

백합 (   )

(3) 그림그래프를 완성해 보시오.

비법 PLUS ＋

팔린 백합의 수를 □송이라 하면 팔린 장미의 수는 (□＋4)송이입니다.

유제 **5** 현수네 학교 3학년 학생 62명이 좋아하는 우리나라 음식을 조사하여 그림그래프로 나타내었습니다. 잡채를 좋아하는 학생 수는 냉면을 좋아하는 학생 수의 2배라고 합니다. 그림그래프를 완성해 보시오.

학생들이 좋아하는 우리나라 음식

음식	학생 수
불고기	◎ ◎ ○ ○ ○
비빔밥	◎ ○ ○
잡채	
냉면	

◎ 10명
○ 1명

신유형 6 그림그래프와 약도를 보고 문제 해결하기

마을별 가구 수를 조사하여 나타낸 그림그래프와 마을의 약도입니다. 강의 북쪽에 있는 마을의 가구 수와 도로의 동쪽에 있는 마을의 가구 수가 같을 때, 기쁨 마을의 가구는 몇 가구인지 구해 보시오.

마을별 가구 수

마을	가구 수
푸른	🏠🏠🏠🏠🏠🏠
하늘	🏠🏠🏠🏠🏠🏠🏠🏠
행복	🏠🏠🏠🏠🏠
기쁨	

🏠 10가구
🏠 1가구

(1) 강의 북쪽에 있는 마을의 가구는 모두 몇 가구입니까?

(   )

(2) 기쁨 마을의 가구는 몇 가구입니까?

(   )

신유형 PLUS +

• 강의 북쪽에 있는 마을
  ⇨ 푸른 마을, 하늘 마을
• 도로의 동쪽에 있는 마을
  ⇨ 하늘 마을, 기쁨 마을

유제 6 과수원별 사과 생산량을 조사하여 나타낸 그림그래프와 과수원의 약도입니다. 도로의 남쪽에 있는 과수원의 사과 생산량과 철로의 서쪽에 있는 과수원의 사과 생산량이 같을 때, ㉯ 과수원의 사과 생산량은 몇 상자인지 구해 보시오.

과수원별 사과 생산량

과수원	사과 생산량
㉮	🍎🍎🍎🍎🍎🍎🍎🍎
㉯	
㉰	🍎🍎🍎🍎🍎🍎
㉱	🍎🍎🍎🍎🍎🍎🍎🍎🍎
㉲	🍎🍎🍎🍎🍎🍎🍎🍎🍎

🍎 100상자
🍎 10상자

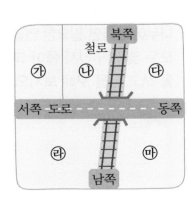

(   )

1 어느 음식점에서 하루 동안 팔린 음식의 수를 조사하여 그림그래프로 나타내었습니다. 가장 많이 팔린 음식과 가장 적게 팔린 음식의 합은 몇 그릇인지 구해 보시오.

( )

하루 동안 팔린 음식의 수

🥣 10그릇
🥣 1그릇

비법 PLUS ➕

○ 그림그래프를 보고 알 수 있는 항목의 수를 먼저 표에 쓰고, 합계를 이용하여 표의 모르는 항목의 수를 구합니다.

2 선영이네 반 학생들이 좋아하는 계절을 조사하여 표와 그림그래프로 나타내었습니다. 표와 그림그래프를 완성해 보시오.

학생들이 좋아하는 계절

계절	봄	여름	가을	겨울	합계
학생 수(명)				12	36

학생들이 좋아하는 계절

계절	봄	여름	가을	겨울
학생 수	◎○○○		◎○	

◎ 5명
○ 1명

● 서술형 문제 ●

3 성호네 학교 3학년 반별 학생 수를 조사하여 그림그래프로 나타내었습니다. 학생 한 명에게 연필을 25자루씩 나누어 준다면 필요한 연필은 모두 몇 자루인지 풀이 과정을 쓰고 답을 구해 보시오.

반별 학생 수

반	학생 수
1반	😊 😊 😊 😊
2반	😊 😊 😊 😊 😊 😊
3반	😊 😊 😊 😊 😊 😊

😊 10명
😊 1명

풀이

답

★ 빠른 정답 6쪽, 정답과 풀이 37쪽

4 마을별 감 생산량을 조사하여 그림그래프로 나타내었습니다. 전체 감 생산량이 1200상자일 때, 감 생산량이 많은 마을부터 순서대로 써 보시오.

비법 PLUS ✚

○ 전체 감 생산량을 이용하여 금빛 마을의 감 생산량을 먼저 구합니다.

마을별 감 생산량

마을	금빛	은빛	별빛	달빛
감 생산량				

100상자
10상자

(   )

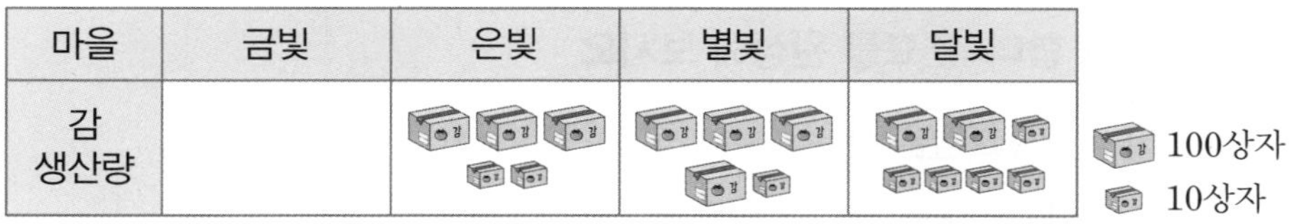

5 어느 가게의 날짜별 구슬 판매량을 조사하여 그림그래프로 나타내었습니다. 구슬 한 개의 값은 90원입니다. 가장 많이 팔린 날과 가장 적게 팔린 날의 구슬 값의 차는 얼마인지 구해 보시오.

날짜별 구슬 판매량

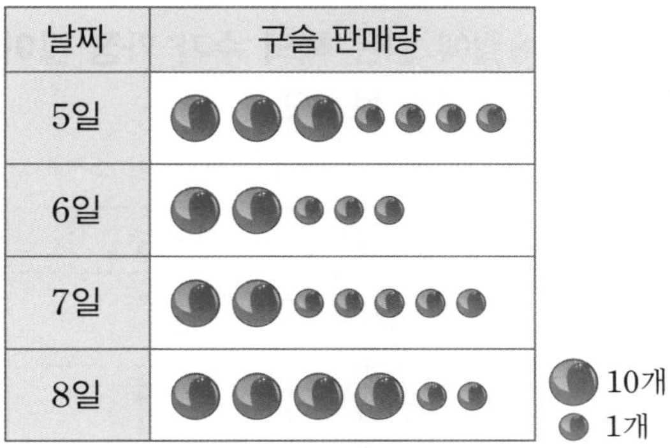

날짜	구슬 판매량
5일	
6일	
7일	
8일	

10개
1개

(   )

[6~7] 영서와 친구들이 한 훌라후프 횟수를 두 가지 그림그래프로 나타내었습니다. ◎이 나타내는 수는 ○이 나타내는 수의 10배일 때 물음에 답하시오.

훌라후프 횟수

이름	훌라후프 횟수
영서	
승재	
태호	
정은	

훌라후프 횟수

이름	훌라후프 횟수
영서	
승재	
태호	
정은	

6 영서가 훌라후프를 한 횟수는 28회입니다. 네 사람이 한 훌라후프 횟수는 모두 몇 회인지 구해 보시오.

(   )

○ 영서가 훌라후프를 한 횟수 28회를 왼쪽 그래프에 어떻게 나타내었는지 보고 왼쪽 그래프의 ◎과 ○이 나타내는 횟수를 먼저 알아봅니다.

7 오른쪽 그림그래프를 완성해 보시오.

8 예진이네 학교 학생들이 등산하고 싶은 산을 조사하여 표로 나타내었습니다. 지리산을 등산하고 싶은 학생 수는 한라산을 등산하고 싶은 학생 수의 2배보다 102명 적고, 덕유산을 등산하고 싶은 학생 수는 지리산을 등산하고 싶은 학생 수의 $\frac{1}{3}$ 이라고 합니다. 표를 완성해 보시오.

비법 PLUS ✚

학생들이 등산하고 싶은 산

산	설악산	한라산	지리산	덕유산	합계
학생 수(명)	235	156			

9 윤정이네 모둠 학생들이 7월과 8월에 읽은 책의 수를 조사하여 그림그래프로 나타내었습니다. 7월보다 8월에 읽은 책의 수가 가장 많이 늘어난 사람은 누구이고, 몇 권 늘어났는지 구해 보시오.

○ 읽은 책의 수가 몇 권씩 늘어났는지 구합니다.

7월에 읽은 책의 수

이름	책의 수
윤정	
미화	
도윤	

📗10권
📖1권

8월에 읽은 책의 수

이름	책의 수
윤정	
미화	
도윤	

📗10권
📖1권

(,)

● 서술형 문제 ●

10 학생 100명이 좋아하는 색깔을 조사하여 그림그래프로 나타내었습니다. 노란색을 좋아하는 학생 수는 빨간색을 좋아하는 학생 수보다 9명 더 많고, 초록색을 좋아하는 학생 수보다 9명 더 적다고 합니다. 초록색을 좋아하는 학생은 몇 명인지 풀이 과정을 쓰고 답을 구해 보시오.

학생들이 좋아하는 색깔

색깔	파란색	빨간색	노란색	초록색
학생 수	😊😊😊😊😊😊😊			

😊10명
😊1명

풀이 _____

_____

_____

답 _____

창의융합형 문제

11 동계 올림픽은 겨울 스포츠 종목을 대상으로 4년에 한 번씩 열리는 국제 스포츠 경기 대회입니다. 2018년 평창 동계 올림픽에서 획득한 나라별 메달 수를 조사하여 그림그래프로 나타내었습니다. 노르웨이가 획득한 메달 수는 일본이 획득한 메달 수의 3배이고, 네 나라가 획득한 메달은 모두 92개입니다. 노르웨이가 획득한 메달은 몇 개인지 구해 보시오.

나라별 메달 수

나라	메달 수
노르웨이	
미국	
대한민국	
일본	

🥇10개 🥇1개

(   )

12 투호는 일정한 거리에 놓은 투호 병에 막대를 1개씩 던져서 넣으면 점수를 얻는 놀이입니다. 준희와 친구들이 투호 병에 막대를 각각 10개씩 던져서 들어간 막대의 수를 조사하여 그림그래프로 나타내었습니다. 투호 병에 막대를 넣을 때마다 7점씩 얻고, 넣지 못할 때마다 2점씩 잃습니다. 점수가 가장 낮은 학생의 점수는 몇 점인지 구해 보시오.

학생들이 넣은 막대의 수

이름	준희	혜원	승호	경민	
넣은 막대의 수	///	//	////	/	/ 5개 / 1개

(   )

● **투호**

병을 일정한 거리에 놓고 그 속에 화살을 던져 승부를 가리는 놀이입니다. 중국 당나라에서 시작되어 고구려, 백제 때 우리나라에 전래되었습니다.

1 정윤이네 학교 3학년의 안경을 쓴 학생 수를 조사하여 표로 나타내었습니다. 안경을 쓴 학생은 모두 31명입니다. 표에서 알 수 있는 내용을 모두 찾아 기호를 써 보시오.

안경을 쓴 학생 수

반	1반	2반	3반	4반	합계
남학생 수(명)	3	5		6	16
여학생 수(명)		2	6	3	

⊙ 안경을 쓴 남학생이 가장 많은 반은 3반입니다.
ⓒ 안경을 쓴 여학생이 가장 적은 반은 2반입니다.
ⓒ 안경을 쓴 학생이 가장 많은 반은 3반입니다.
ⓔ 4반의 안경을 쓴 학생 수는 1반보다 2명 더 많습니다.

( )

2 어느 김밥집에서 하루 동안 팔린 종류별 김밥의 수를 조사하여 그림그래프로 나타내었습니다. 가장 많이 팔린 김밥과 가장 적게 팔린 김밥의 수의 차는 18줄입니다. 하루 동안 팔린 김밥의 수가 가장 많을 때 팔린 김밥은 모두 몇 줄인지 구해 보시오.

( )

팔린 김밥의 수

종류	김밥의 수
야채	
참치	
치즈	
소고기	

🍙 10줄
🍙 1줄

3 어느 동네의 가게별 아이스크림 판매량을 조사하여 그림그래프로 나타내었습니다. 라 가게에서 판매한 아이스크림이 180개일 때, 가, 나, 다, 라 가게에서 판매한 아이스크림은 모두 몇 개인지 구해 보시오.

( )

가게별 아이스크림 판매량

가게	판매량
가	
나	
다	
라	

4 지수와 친구들이 딴 귤의 수를 그림 그래프로 나타내었습니다. 경선이가 딴 귤의 수는 지수와 성호가 딴 귤의 수의 합의 $\frac{3}{7}$입니다. 귤을 적게 딴 사람부터 순서대로 이름을 써 보시오.

(　　　　　　　　　　)

딴 귤의 수

이름	귤의 수
지수	◎ ◎ ○ ○ ○
성호	◎ △ ○ ○ ○ ○
경선	

◎ 10개
△ 5개
○ 1개

5 윤재네 마을의 신문별 구독 부수를 조사하였습니다. 조사한 내용을 보고 그림그래프를 완성해 보시오.

• 가 신문의 구독 부수는 다 신문과 라 신문의 구독 부수의 합과 같습니다.
• 네 신문의 구독 부수의 합은 1120부입니다.

신문별 구독 부수

신문	구독 부수
가	
나	◎ ◎ ◎ ○ ○
다	◎ ◎ ○ ○ ○ ○
라	

◎ 100부
○ 10부

6 서윤이네 학교 학생 150명이 사는 마을을 조사하여 나타낸 그림그래프에 초록 마을과 별빛 마을이 빠졌습니다. 별빛 마을에 사는 학생 수는 초록 마을에 사는 학생 수의 $\frac{1}{2}$이라고 합니다. 약도를 보고 강을 건너지 않고 학교에 갈 수 있는 학생은 모두 몇 명인지 구해 보시오.

마을별 학생 수

마을	학생 수
행복	
미래	
햇살	

😊 10명
☺ 1명

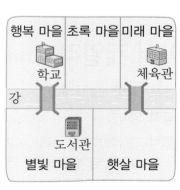

(　　　　　　　　　　)

아서 케일리 (Arthur Cayley)

- **출생~사망:** 1821~1895
- **국적:** 영국
- **업적:** 기하학(도형 및 공간의 성질에 대해 연구하는 학문), 해석학(함수의 성질을 연구하는 학문), 천문학까지 다양한 영역에서 많은 연구를 한 수학자입니다. 4차원의 개념을 뚜렷하게 만들고, 기하 공간이 점과 선으로만 이루어진다고 한정하는 것을 벗어나게 했습니다.

Memo

개념+유형
최상위 탑

15개정 교육과정

개념+유형 최상위탑
정답과 풀이

초등 수학
3·2

visang

개념➕유형 최상위 탑

정답과 풀이

3·2

Top Book

① 곱셈

7쪽 | 핵심 개념과 문제

1 식 381×5＝1905 답 1905
2 <   3 320, 960
4 설희 / 예 일의 자리에서 올림해야 하는 수를 생각하지 않고 계산했기 때문입니다.
5 2600개   6 9

9쪽 | 핵심 개념과 문제

1 546
2 예 26×7의 계산은 실제로 26×70이므로 계산 결과를 자릿값의 위치에 맞게 써서 계산해야 합니다. /

```
        2 6
    ×   7 5
    1 3 0
  1 8 2 0
  1 9 5 0
```

3 136개   4 ㉠
5 216명   6 1800

10~17쪽 | 상위권 문제

유형① (1) 1050원 / 360원 (2) 1410원 (3) 590원
유제1 920원   유제2 320원
유형② (1) 56 (2) 1680
유제3 1464   유제4 669
유형③ (1) 387 (2) 1, 2, 3, 4, 5
유제5 7   유제6 3개
유형④ (1) 3 / 5 (2) 8 / 6
유제7 3 / 7 / 9 / 5   유제8 5 / 3
유형⑤ (1) 672 cm (2) 60 cm (3) 612 cm
유제9 576 cm
유형⑥ (1) 7 (2) 54 (3) 7×54＝378
유제10 2×68＝136
유제11 532×9＝4788 / 359×2＝718
유형⑦ (1) 1008 / 118 (2) 1126

유제12 16   유제13 20
유형⑧ (1) 31개 (2) 30군데 (3) 780 m
유제14 2652 cm

18~21쪽 | 상위권 문제 | 확인과 응용

1 720개   2 2145
3 1296개   4 1267
5 162개   6 6
7 3584   8 1645
9 428개   10 1700번
11 예   1   3   / 442

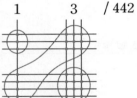

12 1129일

22~23쪽 | 최상위권 문제

1 66쪽, 67쪽   2 4 cm
3 1078   4 125분
5 2802 m   6 345

② 나눗셈

27쪽 | 핵심 개념과 문제

1 <   2 26
3 20개   4 15명
5 15명   6 12 cm

29쪽 │ 핵심 개념과 문제

1 ㉢

2
```
      2 3 1
   4)9 2 4
     8
     ─────
     1 2
     1 2
     ─────
         4
         4
     ─────
         0
```

3 12명, 3장

4 46개, 1개

5 식 $88 \div 5 = 17 \cdots 3$ 몫 17 나머지 3

6 59

30~35쪽 │ 상위권 문제

유형 ❶ (1) 72 (2) 72, 78

유제 **1** 7개

유제 **2** 64, 69

유형 ❷ (1) 58 (2) 14, 2

유제 **3** 28, 1

유제 **4** 12, 2

유형 ❸ (1) 1, 3 (2) 2, 7 (3) 8, 8

유제 **5** (위에서부터) 8 / 5, 1 / 4, 0 / 1

유제 **6** 4, 8

유형 ❹ (1) 26군데 (2) 27그루

유제 **7** 39개

유제 **8** 132개

유형 ❺ (1) 8, 6, 2 (2) 43

유제 **9** 32

유제 **10** 45

유형 ❻ (1) 18개, 4개 (2) 3개

유제 **11** 7개

유제 **12** 1개

36~39쪽 │ 상위권 문제 | 확인과 응용

1 1, 4, 7

2 27번

3 18개

4 53, 54, 55

5 4, 7, 3

6 24일

7 68개

8 11 cm

9 3

10 24번

11 30년

12 20술

40~41쪽 │ 최상위권 문제

1 16

2 3시간 5분

3 3개

4 3분 20초 후

5 8 cm

6 192송이

❸ 원

45쪽 │ 핵심 개념과 문제

1 점 ㄷ

2 선분 ㅇㄴ, 선분 ㅇㄷ, 선분 ㅇㅁ

3 7 cm

4 ③, ⑤

5 ㉡, ㉠, ㉢

6 8 m

47쪽 │ 핵심 개념과 문제

1
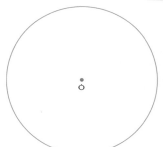

2 10 cm

3
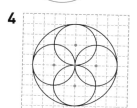 / 예 나침반의 반지름만큼 컴퍼스를 벌려 원을 그립니다.

4
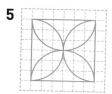

5

6 예 원의 중심을 같게 하고, 반지름을 모눈 1칸씩 늘려 가며 그리는 규칙입니다. /

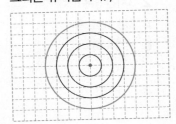

48~53쪽　상위권 문제

유형❶ (1) 4개 (2) 2개 (3) 3개

유제 **1** 4개　　　　　　유제 **2** 10개

유형❷ (1) 5 cm (2) 20 cm (3) 30 cm

유제 **3** 18 cm　　　　　유제 **4** 32 cm

유형❸ (1) 7 cm / 7 cm / 7 cm (2) 21 cm

유제 **5** 40 cm　　　　　유제 **6** 26 cm

유형❹ (1) 8배 (2) 3 cm

유제 **7** 9 cm　　　　　 유제 **8** 5 cm

유형❺ (1) 2 cm (2) 26 cm

유제 **9** 18 cm　　　　　유제 **10** 90 cm

유형❻ (1) 8배 (2) 24 mm

유제 **11** 18 mm　　　　유제 **12** 3 cm

54~57쪽　상위권 문제 | 확인과 응용

1 5 cm　　　　　　　**2** 22 cm

3 12 cm　　　　　　 **4** 10 cm

5 28 cm　　　　　　 **6** 56 cm

7 30 cm　　　　　　 **8** 4 cm

9 73 cm　　　　　　 **10** 8 cm

11 25 cm　　　　　　**12** 18개

58~59쪽　최상위권 문제

1 25 cm　　　　　　　**2** 13개

3 60 cm　　　　　　　**4** 88 cm

5 45개　　　　　　　 **6** 8 cm

---

4 분수

63쪽　핵심 개념과 문제

1 $3, \dfrac{2}{3}$　　　　　　　**2** (1) 20 (2) 45

3 3　　　　　　　　　**4** 3, 2, 1

5 예

（색칠 문제 그림）

6 27장

65쪽　핵심 개념과 문제

1 $\dfrac{5}{7}, \dfrac{3}{12}$ / $\dfrac{11}{10}, \dfrac{4}{4}$ / $3\dfrac{5}{6}, 2\dfrac{8}{9}$

2 9개　　　　　　　**3** $\dfrac{12}{5}$

4 ①, ④　　　　　　**5** $2\dfrac{1}{9}, 1\dfrac{7}{9}, \dfrac{14}{9}$

6 $6, 5$ / $\dfrac{47}{7}$

66~71쪽　상위권 문제

유형❶ (1) 7권 (2) 12권 (3) 9권

유제 **1** 16명　　　　　유제 **2** 20 cm

유형❷ (1) 4 (2) 40 (3) 8

유제 **3** 11　　　　　　유제 **4** 18명

유형❸ (1) $4\dfrac{4}{6}$ (2) 1, 2, 3

유제 **5** 14　　　　　　유제 **6** 8개

유형❹ (1) 3개 (2) 6개 (3) 9개

유제 **7** 9개　　　　　　유제 **8** 12개

유형❺ (1) 18, 17, 16, 15 (2) 9, 16 (3) $\dfrac{9}{16}$

유제 **9** $\dfrac{12}{8}$　　　　　유제 **10** $3\dfrac{2}{3}$

유형❻ (1) 25개 (2) $\dfrac{25}{8}$

유제 **11** $2\dfrac{14}{16}\left(=2\dfrac{7}{8}\right)$

72~75쪽　상위권 문제 | 확인과 응용

1 $3\dfrac{8}{15}$　　　　　　**2** 25

3 노란색　　　　　　 **4** 9

5 $\dfrac{5}{8}$ **6** 36

7 $\dfrac{17}{7}$, $\dfrac{18}{7}$, $\dfrac{19}{7}$, $\dfrac{20}{7}$ **8** 36 m

9 20분   **10** 11가지

11 ㉢   **12** 약 260 m

76~77쪽	최상위권 문제

1 27, 35, 43   **2** $\dfrac{7}{23}$ / $\dfrac{4}{23}$ / $\dfrac{6}{23}$

3 $\dfrac{1}{19}$ **4** $1\dfrac{1}{8}$

5 100송이   **6** 18 cm

---

5 들이와 무게

81쪽	핵심 개념과 문제

1 ㉯ 컵   **2** 3920 mL

3 6 L 640 mL   **4** 재하

5 450 mL   **6** 2 L 550 mL

83쪽	핵심 개념과 문제

1 토마토   **2** 1 kg 900 g

3 정아   **4** ㉠, ㉡, ㉢, ㉣

5 (위에서부터) 8, 840   **6** 100 g

84~91쪽	상위권 문제

유형❶ (1) 1 (2) 7번

유제 **1** 3번   유제 **2** 6번

유형❷ (1) 17 kg 200 g (2) 31 kg 850 g

유제 **3** 970 g   유제 **4** 6 kg 70 g

유형❸ (1) 2 L 850 mL (2) 7 L 150 mL

유제 **5** 3 L 950 mL   유제 **6** 5 L 230 mL

유형❹ (1) 900 g (2) 300 g (3) 850 g

유제 **7** 410 g   유제 **8** 1 kg 500 g

유형❺ (1) 5 L (2) 2 L 500 mL

유제 **9** 1 L 700 mL   유제 **10** 350 mL

유형❻ (1) 192 g (2) 256 g

유제 **11** 120 g   유제 **12** 500 g

유형❼ (1) 450 mL (2) 20초

유제 **13** 6분   유제 **14** 40분

유형❽ (1) 100 g, 400 g (2) 300 g, 500 g (3) 볼펜

유제 **15** 접시

92~95쪽	상위권 문제	확인과 응용

1 어항   **2** 2 L 600 mL

3 63 kg 200 g   **4** 500 mL

5 4채   **6** 11 kg 700 g

7 700 mL   **8** 7번

9 25, 10, 15, 30   **10** 150 g

11 2 L 800 mL   **12** 5 kg 550 g

96~97쪽	최상위권 문제

1 105 kg   **2** 1 L 100 mL

3 22 kg 500 g   **4** 2분

5 2 L 700 mL   **6** 13가지

---

6 자료의 정리

101쪽	핵심 개념과 문제

1 8, 5, 4, 9, 26   **2** 4개

3 예 · 감자가 가장 많습니다.

     · 채소 가게에 있는 채소는 모두 26개입니다.

4 37그루

5

마을별 나무 수

마을	나무 수
장수	◎◎◎ ○○○○○○○
햇살	◎◎◎◎ ○○○○○○
초록	◎◎ ○○○○○○○○
샘터	◎◎ ○○○○

◎ 10그루   ○ 1그루

6

마을별 나무 수

마을	나무 수
장수	◎ ◎ ◎ △ ○
햇살	◎ ◎ ◎ ◎ △ ○ ○ ○
초록	◎ ◎ ◎ △ ○ ○
샘터	◎ ◎ △

◎ 10그루   △ 5그루   ○ 1그루

102~107쪽 상위권 문제

유형 **1** (1) 41대, 22대 (2) 19대

유제 **1** 570곳

유형 **2** (1) 10권 / 1권 (2) 52권

유제 **2** 370마리

유형 **3** (1) 99개 (2) 7920원

유제 **3** 280개

유형 **4** (1) 24명 (2) 21명
　　　 (3) (위에서부터) 21, 63 / 24, 62

유제 **4** (위에서부터) 3, 28 / 9, 31

유형 **5** (1) 9송이 / 11송이 (2) 12송이 / 8송이
　　　 (3)

하루 동안 팔린 꽃의 수

종류	꽃의 수
장미	◎ ◎ ○ ○
튤립	◎ ○ ○ ○ ○
백합	◎ ○ ○ ○
국화	◎ ◎ ○

◎ 5송이
○ 1송이

유제 **5**

학생들이 좋아하는 우리나라 음식

음식	학생 수
불고기	◎ ◎ ○ ○ ○
비빔밥	◎ ○ ○
잡채	◎ ○ ○ ○ ○ ○ ○ ○ ○
냉면	○ ○ ○ ○ ○ ○ ○ ○

◎ 10명
○ 1명

유형 **6** (1) 78가구 (2) 42가구

유제 **6** 190상자

108~111쪽 상위권 문제 | 확인과 응용

1 50그릇

2 8, 10, 6 /

학생들이 좋아하는 계절

계절	봄	여름	가을	겨울
학생 수	◎ ○ ○ ○	◎ ○ ○	◎ ◎ ○	◎ ◎ ○ ○

◎ 5명
○ 1명

3 1550자루

4 별빛 마을, 은빛 마을, 달빛 마을, 금빛 마을

5 1710원　　　　**6** 96회

7

훌라후프 횟수

이름	훌라후프 횟수
영서	◎ ◎ ◎ △ ○ ○ ○
승재	◎ △ ○ ○
태호	◎ △ ○
정은	◎ ◎ ◎ ◎ △

8 210, 70, 671　　　**9** 윤정, 7권

10 31명　　　　　　**11** 39개

12 7점

112~113쪽 최상위권 문제

1 ㉡, ㉣　　　　　**2** 98줄

3 1260개　　　　 **4** 경선, 성호, 지수

5

신문별 구독 부수

신문	구독 부수
가	◎ ◎ ◎
나	◎ ◎ ◎ ○ ○
다	◎ ◎ ○ ○ ○ ○
라	◎ ○ ○ ○ ○ ○ ○

◎ 100부
○ 10부

6 92명

Review Book

1 곱셈

2~3쪽 복습·상위권 문제

1 540원   **2** 3650
3 1, 2, 3, 4   **4** 6 / 2 / 9 / 3
5 848 cm   **6** $9 \times 64 = 576$
7 851   **8** 630 m

4~7쪽 복습·상위권 문제 | 확인과 응용

1 840개   **2** 2540
3 1800개   **4** 693
5 137장   **6** 5
7 4741   **8** 1305
9 432개   **10** 2920번
11 예

12 3193일

8~9쪽 복습·최상위권 문제

1 48쪽, 49쪽   **2** 3 cm
3 2034   **4** 161분
5 3268 m   **6** 823

2 나눗셈

10~11쪽 복습·상위권 문제

1 84, 91, 98   **2** 16, 1
3 (위에서부터) 6 / 4, 6 / 2 / 4
4 79개   **5** 32
6 5개

12~15쪽 복습·상위권 문제 | 확인과 응용

1 2, 6   **2** 17번
3 11개   **4** 89
5 5, 6, 1   **6** 20일
7 82장   **8** 11 cm
9 ★   **10** 25번
11 9번   **12** 30작은술

16~17쪽 복습·최상위권 문제

1 63   **2** 2시간 45분
3 26개   **4** 5시간 후
5 9 cm   **6** 192개

3 원

18~19쪽 복습·상위권 문제

1 3개   **2** 42 cm
3 27 cm   **4** 7 cm
5 36 cm   **6** 9 cm

20~23쪽 복습·상위권 문제 | 확인과 응용

1 6 cm   **2** 16 cm
3 12 cm   **4** 9 cm
5 56 cm   **6** 60 cm
7 47 cm   **8** 6 cm
9 108 cm   **10** 10 cm
11 366 cm   **12** 28개

24~25쪽 복습·최상위권 문제

1 33 cm   **2** 12개
3 210 cm   **4** 160 cm
5 36개   **6** 7 cm

❹ 분수

26~27쪽 | 복습·상위권 문제

1 11개

2 15

3 1, 2, 3, 4

4 9개

5 $\dfrac{7}{12}$

6 $\dfrac{17}{8}$

28~31쪽 | 복습·상위권 문제 | 확인과 응용

1 $4\dfrac{7}{12}$

2 30

3 윤호

4 7

5 $\dfrac{4}{9}$

6 112

7 $\dfrac{14}{5}$, $\dfrac{15}{5}$, $\dfrac{16}{5}$, $\dfrac{17}{5}$, $\dfrac{18}{5}$, $\dfrac{19}{5}$

8 27 m

9 18분

10 13가지

11 ㄹ

12 약 820 cm

32~33쪽 | 복습·최상위권 문제

1 40, 49, 58, 67

2 $\dfrac{14}{13}$ / $\dfrac{18}{13}$ / $\dfrac{17}{13}$

3 $\dfrac{1}{17}$

4 $\dfrac{13}{10}$

5 224개

6 24 cm

❺ 들이와 무게

34~35쪽 | 복습·상위권 문제

1 6번

2 21 kg 360 g

3 5 L 650 mL

4 450 g

5 1 L 600 mL

6 125 g

7 30초

8 수첩

36~39쪽 | 복습·상위권 문제 | 확인과 응용

1 주전자

2 1 L 520 mL

3 7 kg 500 g

4 1 L 770 mL

5 8대

6 9 kg 100 g

7 650 mL

8 8번

9 30, 10, 40, 20

10 150 g

11 1 kg 125 g

12 4 L 320 mL

40~41쪽 | 복습·최상위권 문제

1 102 kg

2 800 mL

3 5 kg 500 g

4 3분

5 2 L 400 mL

6 12가지

❻ 자료의 정리

42~43쪽 | 복습·상위권 문제

1 17개

2 47대

3 4700원

4 (위에서부터) 18, 55 / 27, 56

5

팔린 아이스크림 수

종류	아이스크림 수
멜론 맛	
딸기 맛	
녹차 맛	
초콜릿 맛	

🍦 10개 🍦 1개

6 130 kg

1 65장

2 8, 21, 13 /

종류별 나무 수

종류	참나무	소나무	단풍나무	은행나무
나무 수	◎ ○○○○	○○○○ ○○○○	◎◎ ○	◎ ○○○

◎10그루
○1그루

3 2200권

4 아침 목장, 가람 목장, 신선 목장, 튼튼 목장

5 1080원　　　　**6** 78개

7　　　빚은 송편 수

이름	송편 수
준희	◎△○○
승범	◎◎△
지수	◎◎◎△○

8 170, 340, 920

9 수진 / 8개　　　**10** 140명

11 360명　　　　**12** 155점

1 ㉠, ㉣　　　　**2** 94개

3 900그릇　　　**4** 프랑스, 미국, 일본

5　　　과수원별 사과 생산량

과수원	사과 생산량
가	◎◎◎○○○○
나	◎◎◎◎○○○○
다	◎◎◎◎○
라	◎○○○○○○○○

◎100상자
○10상자

6 114명

1 곱셈

1 식 $381 \times 5 = 1905$ 답 1905
2 <
3 320, 960
4 설희 / 예 일의 자리에서 올림해야 하는 수를 생각하지 않고 계산했기 때문입니다.
5 2600개   **6** 9

1 381을 5번 더한 것은 381의 5배와 같습니다.
   ⇨ $381 \times 5 = 1905$

2 • $443 \times 2 = 886$ • $312 \times 3 = 936$
   ⇨ $886 < 936$

3 • $16 \times 20 = 320$
    • $320 \times 3 = 960$

5 • (파란색 구슬의 수) $= 50 \times 40 = 2000$(개)
    • (노란색 구슬의 수) $= 20 \times 30 = 600$(개)
   ⇨ (파란색 구슬과 노란색 구슬의 수의 합)
       $= 2000 + 600 = 2600$(개)

6 □$\times 4$의 일의 자리가 6이므로 □$=4$ 또는 □$=9$입니다.
    □$=4$일 때 $324 \times 4 = 1296$,
    □$=9$일 때 $329 \times 4 = 1316$이므로 □$=9$입니다.

1 546
2 예 26×7의 계산은 실제로 26×70이므로 계산 결과를 자릿값의 위치에 맞게 써서 계산해야 합니다. /

```
      2 6
   ×  7 5
   ─────────
    1 3 0
  1 8 2 0
  ─────────
  1 9 5 0
```

3 136개   **4** ㉠
5 216명   **6** 1800

1 가장 큰 수: 42, 가장 작은 수: 13
   ⇨ $42 \times 13 = 546$

3 (17분 동안 만들 수 있는 빵의 수)
    $=$(1분 동안 만들 수 있는 빵의 수)$\times 17$
    $= 8 \times 17 = 136$(개)

4 ㉠ $9 \times 37 = 333$ ㉡ $8 \times 45 = 360$
    ㉢ $7 \times 53 = 371$
    따라서 $333 < 360 < 371$이므로 계산 결과가 가장 작은 것은 ㉠입니다.

5 15인승 버스마다 3자리씩 비어 있으므로 버스 한 대에 $15 - 3 = 12$(명)씩 탔습니다.
   ⇨ (민이네 학교 3학년 학생 수)
       $=$(버스 한 대에 탄 학생 수)$\times$(버스 수)
       $= 12 \times 18 = 216$(명)

6 수의 크기를 비교하면 $7 > 5 > 4 > 2$이므로 가장 큰 몇십몇은 75이고, 가장 작은 몇십몇은 24입니다.
   ⇨ $75 \times 24 = 1800$

유형 **①** (1) 1050원 / 360원 (2) 1410원 (3) 590원
유제 **1** 920원   유제 **2** 320원
유형 **②** (1) 56 (2) 1680
유제 **3** 1464   유제 **4** 풀이 참조, 669
유형 **③** (1) 387 (2) 1, 2, 3, 4, 5
유제 **5** 7   유제 **6** 3개
유형 **④** (1) 3 / 5 (2) 8 / 6
유제 **7** 3 / 7 / 9 / 5   유제 **8** 5 / 3
유형 **⑤** (1) 672 cm (2) 60 cm (3) 612 cm
유제 **9** 풀이 참조, 576 cm
유형 **⑥** (1) 7 (2) 54 (3) $7 \times 54 = 378$
유제 **10** $2 \times 68 = 136$
유제 **11** $532 \times 9 = 4788$ / $359 \times 2 = 718$
유형 **⑦** (1) 1008 / 118 (2) 1126
유제 **12** 16   유제 **13** 20
유형 **⑧** (1) 31개 (2) 30군데 (3) 780 m
유제 **14** 2652 cm

유형 **①** (1) • (지우개 3개의 값) $= 350 \times 3 = 1050$(원)
         • (연필 2자루의 값) $= 180 \times 2 = 360$(원)
    (2) (민규가 산 물건의 값의 합)
        $= 1050 + 360 = 1410$(원)
    (3) (민규가 받아야 할 거스름돈)
        $= 2000 - 1410 = 590$(원)

유제 **1**　• (구슬 32개의 값)$=65 \times 32 = 2080$(원)

　　　• (머리핀 20개의 값)$=50 \times 20 = 1000$(원)

　　　• (수진이가 산 물건의 값의 합)

　　　　$=2080 + 1000 = 3080$(원)

　　　⇨ (수진이가 받아야 할 거스름돈)

　　　　$=4000 - 3080 = 920$(원)

유제 **2**　• (색종이 32장의 값)$=45 \times 32 = 1440$(원)

　　　• (연필 7자루의 값)$=120 \times 7 = 840$(원)

　　　• (자석 40개의 값)$=60 \times 40 = 2400$(원)

　　　• (소정이가 산 물건의 값의 합)

　　　　$=1440 + 840 + 2400 = 4680$(원)

　　　⇨ (소정이가 받아야 할 거스름돈)

　　　　$=5000 - 4680 = 320$(원)

유형 **❷**　(1) 어떤 수를 □라 하면 □$+30 = 86$,

　　　　$86 - 30 =$□, □$= 56$입니다.

　　　(2) $56 \times 30 = 1680$

유제 **3**　어떤 수를 □라 하면 □$-24 = 37$,

　　　$37 + 24 =$□, □$= 61$입니다.

　　　따라서 바르게 계산하면 $61 \times 24 = 1464$입니다.

유제 **4**　예 어떤 수를 □라 하면 □$+3 = 226$,

　　　$226 - 3 =$□, □$= 223$입니다.❶

　　　따라서 바르게 계산하면 $223 \times 3 = 669$입니다.❷

채점 기준

| ❶ 어떤 수 구하기 |
| ❷ 바르게 계산한 값 구하기 |

유형 **❸**　(1) $9 \times 43 = 387$

　　　(2) ①$\times 67 = 67 < 387$,

　　　　②$\times 67 = 134 < 387$,

　　　　③$\times 67 = 201 < 387$,

　　　　④$\times 67 = 268 < 387$,

　　　　⑤$\times 67 = 335 < 387$,

　　　　⑥$\times 67 = 402 > 387$

　　　　따라서 □ 안에 들어갈 수 있는 수는 1, 2, 3, 4, 5입니다.

유제 **5**　$30 \times 80 = 2400$이므로 $354 \times$□> 2400입니다. $354 \times$①$= 354 < 2400$ ……

　　　$354 \times$⑥$= 2124 < 2400$,

　　　$354 \times$⑦$= 2478 > 2400$

　　　따라서 □ 안에 들어갈 수 있는 가장 작은 수는 7입니다.

유제 **6**　$50 \times 60 = 3000$, $65 \times 73 = 4745$이므로

　　　$3000 < 537 \times$□< 4745입니다.

　　　$537 \times$①$= 537$ …… $537 \times$⑤$= 2685$,

　　　$537 \times$⑥$= 3222$, $537 \times$⑦$= 3759$,

　　　$537 \times$⑧$= 4296$, $537 \times$⑨$= 4833$

　　　따라서 □ 안에 들어갈 수 있는 수는 6, 7, 8로 모두 3개입니다.

유형 **❹**　(1) • $7 \times$ⓒ의 일의 자리가 5이려면

　　　　ⓒ$= 5$입니다.

　　　　• ㉠$7 \times 5 = 185$이므로 ㉠$= 3$입니다.

　　　(2) • ⓒ은 7×4의 일의 자리이므로

　　　　ⓒ$= 8$입니다.

　　　　• $185 + 1480 = 1665$이므로 ㉣$= 6$입니다.

유제 **7**　• $2 \times$ⓒ의 일의 자리가 4이려면 ⓒ$= 2$ 또는 ⓒ$= 7$입니다.

　　　• ⓒ$= 2$일 경우 $42 \times 2 = 84$이므로 곱셈식이 성립하지 않습니다.

　　　• ⓒ$= 7$일 경우 $42 \times 7 = 294$이므로 ⓒ$= 9$입니다.

　　　• $42 \times$㉠$= 126$이므로 ㉠$= 3$이고,

　　　　$294 + 1260 = 1554$이므로 ㉣$= 5$입니다.

유제 **8**　▲$\times$■의 일의 자리가 5이면서 서로 다른 숫자인 (■, ▲)은 (1, 5), (5, 1), (3, 5), (5, 3), (5, 7), (7, 5), (5, 9), (9, 5)이고, 이 중에서 ■$>$▲인 경우는 (5, 1), (5, 3), (7, 5), (9, 5)입니다.

　　　$51 \times 15 = 765$, $53 \times 35 = 1855$,

　　　$75 \times 57 = 4275$, $95 \times 59 = 5605$

　　　⇨ ■$= 5$, ▲$= 3$

유형 ⑤
(1) (종이띠 16장의 길이의 합)
$= 42 \times 16 = 672 \text{(cm)}$
(2) 겹쳐진 부분은 $16 - 1 = 15$(군데)이므로 겹쳐진 부분의 길이의 합은 $4 \times 15 = 60 \text{(cm)}$ 입니다.
(3) (이어 붙인 종이띠의 전체 길이)
$= 672 - 60 = 612 \text{(cm)}$

유제 9
종이띠 30장의 길이의 합은
$25 \times 30 = 750 \text{(cm)}$입니다.」❶
겹쳐진 부분은 $30 - 1 = 29$(군데)이므로 겹쳐진 부분의 길이의 합은 $6 \times 29 = 174 \text{(cm)}$입니다.」❷
따라서 이어 붙인 종이띠의 전체 길이는
$750 - 174 = 576 \text{(cm)}$입니다.」❸

채점 기준
❶ 종이띠 30장의 길이의 합 구하기
❷ 겹쳐진 부분의 길이의 합 구하기
❸ 이어 붙인 종이띠의 전체 길이 구하기

유형 ⑥
(1) 곱이 가장 큰 곱셈식을 만들려면 가장 큰 수를 한 자리 수에 놓아야 합니다.
따라서 $7 > 5 > 4$이므로 한 자리 수에 7을 놓아야 합니다.
(2) 곱이 가장 큰 곱셈식을 만들려면 두 번째로 큰 수는 두 자리 수의 십의 자리에, 가장 작은 수는 두 자리 수의 일의 자리에 놓아야 합니다.
따라서 54가 되어야 합니다.

유제 10
곱이 가장 작은 곱셈식을 만들려면 가장 작은 수는 한 자리 수에, 두 번째로 작은 수는 두 자리 수의 십의 자리에, 가장 큰 수는 두 자리 수의 일의 자리에 놓아야 합니다.
따라서 $2 < 6 < 8$이므로 곱이 가장 작은 곱셈식을 만들고 계산하면 $2 \times 68 = 136$입니다.

유제 11
• 곱이 가장 큰 곱셈식을 만들려면 가장 큰 수는 한 자리 수에 놓아야 하고, 나머지 수로 가장 큰 세 자리 수를 만듭니다.
따라서 $9 > 5 > 3 > 2$이므로 곱이 가장 클 때의 곱셈식을 만들고 계산하면
$532 \times 9 = 4788$입니다.
• 곱이 가장 작은 곱셈식을 만들려면 가장 작은 수는 한 자리 수에 놓아야 하고, 나머지 수로 가장 작은 세 자리 수를 만듭니다.
따라서 $2 < 3 < 5 < 9$이므로 곱이 가장 작을 때의 곱셈식을 만들고 계산하면
$359 \times 2 = 718$입니다.

유형 ⑦
(1) ㉮$= 126 \times 8 = 1008$, ㉯$= 126 - 8 = 118$
(2) $126 ▲ 8 = 1008 + 118 = 1126$

유제 12
㉮$= 24 \times 24 = 576$, ㉯$= 112 \times 5 = 560$
➪ $24 ★ 112 = 576 - 560 = 16$

유제 13
$15 ◆ \square$에서 ㉮$= 15 \times 20 = 300$,
㉯$= \square \times \square$이고 ㉮$+$㉯$= 700$이므로
$300 + ㉯ = 700$, ㉯$= 400$입니다.
따라서 $\square \times \square = 400$이고 $20 \times 20 = 400$이므로 $\square = 20$입니다.

유형 ⑧
(1) $31 + 31 = 62$이므로 도로의 한쪽에 세울 가로등은 31개입니다.
(2) 도로의 처음부터 끝까지 가로등을 세우므로 가로등 사이의 간격은 $31 - 1 = 30$(군데)입니다.
(3) (도로의 길이)$= 26 \times 30 = 780 \text{(m)}$

유제 14
• (한 변 위에 세운 기둥 사이의 간격 수)
$= 14 - 1 = 13$(군데)
• (꽃밭의 한 변)$= 51 \times 13 = 663 \text{(cm)}$
➪ (꽃밭의 네 변의 길이의 합)
$= 663 \times 4 = 2652 \text{(cm)}$

상위권 문제	확인과 응용	18~21쪽

1 720개   **2** 2145
3 풀이 참조, 1296개   **4** 1267
5 풀이 참조, 162개   **6** 6
7 3584   **8** 1645
9 428개   **10** 1700번
11 예

/ 442

12 1129일

1 오리는 다리가 2개인 동물이므로 오리의 다리는
$152 \times 2 = 304$(개)입니다.
돼지와 양은 다리가 4개인 동물이고
$46 + 58 = 104$(마리)이므로 돼지와 양의 다리는
$104 \times 4 = 416$(개)입니다.
따라서 농장에 있는 동물의 다리는 모두
$304 + 416 = 720$(개)입니다.

2 $12 \times 15 = 180$, $5 \times 32 = 160$, $342 \times 5 = 1710$이
므로 $\triangle \bigstar \square = \triangle \times \square$입니다.
따라서 $715 \bigstar 3 = 715 \times 3 = 2145$입니다.

3 ⓐ 1시간은 60분이므로 10분에 9개씩 과자를 만들
면 1시간 동안 $9 \times 6 = 54$(개)의 과자를 만들 수 있
습니다.」❶
따라서 하루는 24시간이므로 하루 동안 만들 수 있
는 과자는 모두 $54 \times 24 = 1296$(개)입니다.」❷

채점 기준
❶ 1시간 동안 만들 수 있는 과자의 수 구하기
❷ 하루 동안 만들 수 있는 과자의 수 구하기

4 어떤 수를 $\square$라 하면 $423 - \square = 421$,
$423 - 421 = \square$, $\square = 2$입니다.
바르게 계산하면 $423 \times 2 = 846$입니다.
➡ $846 + 421 = 1267$

5 ⓐ 24개씩 30명에게 나누어 줄 때 필요한 초콜릿은
$24 \times 30 = 720$(개)이므로 전체 초콜릿은
$720 + 18 = 738$(개)입니다.」❶
따라서 30개씩 30명에게 나누어 주려면 필요한 초
콜릿은 $30 \times 30 = 900$(개)이므로 더 준비해야 하는
초콜릿은 적어도 $900 - 738 = 162$(개)입니다.」❷

채점 기준
❶ 전체 초콜릿의 수 구하기
❷ 더 준비해야 하는 초콜릿의 수 구하기

6 • $\boxed{1} \times 45 = 45 < 272$, $\boxed{2} \times 45 = 90 < 272$,
$\boxed{3} \times 45 = 135 < 272$, $\boxed{4} \times 45 = 180 < 272$,
$\boxed{5} \times 45 = 225 < 272$, $\boxed{6} \times 45 = 270 < 272$,
$\boxed{7} \times 45 = 315 > 272$이므로 $\square$ 안에 들어갈 수
있는 수는 1, 2, 3, 4, 5, 6입니다.
• $47 \times 30 = 1410$
$1410 > 253 \times \boxed{1} = 253$,
$1410 > 253 \times \boxed{2} = 506$,
$1410 > 253 \times \boxed{3} = 759$,
$1410 > 253 \times \boxed{4} = 1012$,
$1410 > 253 \times \boxed{5} = 1265$,
$1410 < 253 \times \boxed{6} = 1518$이므로 $\square$ 안에 들어갈
수 있는 수는 6, 7, 8, 9입니다.
따라서 $\square$ 안에 공통으로 들어갈 수 있는 수는 6입
니다.

7 • $8 > 6 > 4 > 3$이므로 곱이 가장 크려면 두 수의 십
의 자리에 8과 6이 와야 합니다.
$\boxed{8}4 \times \boxed{6}3 = 5292$, $\boxed{8}3 \times \boxed{6}4 = 5312$이므로 가
장 큰 곱은 5312입니다.
• $3 < 4 < 6 < 8$이므로 곱이 가장 작으려면 두 수의
십의 자리에 3과 4가 와야 합니다.
$\boxed{3}6 \times \boxed{4}8 = 1728$, $\boxed{3}8 \times \boxed{4}6 = 1748$이므로 가
장 작은 곱은 1728입니다.
➡ $5312 - 1728 = 3584$

8 두 수의 차가 12이므로 두 수 중 작은 수를 $\square$라 하
면 큰 수는 $\square + 12$입니다.
두 수의 합이 82이므로 $\square + (\square + 12) = 82$이고
$\square + \square = 70$, $35 + 35 = 70$이므로 $\square = 35$입니다.
따라서 작은 수가 35, 큰 수가 $35 + 12 = 47$이므로
두 수의 곱은 $35 \times 47 = 1645$입니다.

9 한 변에 108개씩 점을 찍을 때 네 변에 있는 점은
$108 \times 4 = 432$(개)이고 정사각형의 네 꼭짓점에서
점이 각각 겹치므로 겹친 점을 빼면 점을 모두
$432 - 4 = 428$(개) 찍어야 합니다.

10 작은 톱니바퀴가 돌아가는 횟수는 큰 톱니바퀴의
4배입니다. 큰 톱니바퀴가 1분에 5번 돌면 작은 톱
니바퀴는 1분에 $5 \times 4 = 20$(번) 돕니다.
1시간 25분은 85분이므로 작은 톱니바퀴가 85분 동
안 도는 횟수는 $85 \times 20 = 1700$(번)입니다.

다른 풀이 1시간 25분 $= 85$분
(큰 톱니바퀴가 85분 동안 도는 횟수) $= 5 \times 85 = 425$(번)
➡ (작은 톱니바퀴가 85분 동안 도는 횟수)
 $= 425 \times 4 = 1700$(번)

11 문살을 그리면 100이 3개이므로 300, 10이 13개이
므로 130, 1이 12개이므로 12입니다.
따라서 $34 \times 13 = 300 + 130 + 12 = 442$입니다.

12 1950년 6월 25일부터 1953년 6월 24일까지의 기
간은 $365 \times 3 = 1095$, $1095 + 1 = 1096$으로 1096
일이고, 1953년 6월 25일부터 1953년 7월 27일까
지의 기간은 $6 + 27 = 33$(일)입니다.
따라서 한국 전쟁이 시작되어 휴전이 되기까지의 기
간은 $1096 + 33 = 1129$(일)입니다.

최상위권 문제   22~23쪽

1 66쪽, 67쪽	**2** 4 cm
3 1078	**4** 125분
5 2802 m	**6** 345

1

> 비법 PLUS＋ 펼쳐진 두 쪽수는 연속된 두 수이고 연속된 두 수의 곱이 4422이므로 먼저 두 쪽수의 십의 자리 숫자를 예상하여 알아봅니다.

$60 \times 60 = 3600$, $70 \times 70 = 4900$이므로 곱이 4422인 두 수는 60과 70 사이에 있는 수입니다.

왼쪽 수	60	62	64	66
오른쪽 수	61	63	65	67
두 수의 곱	3660	3906	4160	4422

따라서 $66 \times 67 = 4422$이므로 펼쳐진 두 쪽수는 각각 66쪽, 67쪽입니다.

2

> 비법 PLUS＋ 겹쳐진 부분의 길이의 합과 겹쳐진 부분의 수를 구하여 겹쳐진 한 부분의 길이를 구합니다.

- (겹쳐진 부분의 수)$= 24 - 1 = 23$(군데)
- (종이띠 24장의 길이의 합)$= 28 \times 24 = 672$(cm)
- (겹쳐진 부분의 길이의 합)$= 672 - 580 = 92$(cm)

따라서 겹쳐진 한 부분의 길이를 $\square$ cm라 하면
$\square \times 23 = 92$이고 $4 \times 23 = 92$이므로
$\square = 4$입니다.

3

> 비법 PLUS＋ (세 자리 수)×(한 자리 수)와
> (두 자리 수)×(두 자리 수)에서 곱이 가장 클 때와 곱이 가장 작을 때를 각각 구하고 수의 크기를 비교합니다.

(세 자리 수)×(한 자리 수)에서
곱이 가장 클 때는 $321 \times 4 = 1284$,
곱이 가장 작을 때는 $234 \times 1 = 234$입니다.
(두 자리 수)×(두 자리 수)에서
곱이 가장 클 때는 $41 \times 32 = 1312$,
곱이 가장 작을 때는 $13 \times 24 = 312$입니다.
따라서 $1312 > 1284 > 312 > 234$이므로 곱이 가장 클 때와 가장 작을 때의 차는
$1312 - 234 = 1078$입니다.

4

> 비법 PLUS＋ • (자르는 횟수)＝(도막 수)-1
> • (쉬는 횟수)＝(자르는 횟수)-1

- (자르는 횟수)$= 17 - 1 = 16$(번)
- (나무를 자르는 데 걸리는 시간의 합)
  $= 5 \times 16 = 80$(분)
- (쉬는 횟수)$= 16 - 1 = 15$(번)
- (쉬는 시간의 합)$= 3 \times 15 = 45$(분)
- ⇨ (나무를 모두 자르는 데 걸리는 시간)
  ＝(나무를 자르는 데 걸리는 시간의 합)
    ＋(쉬는 시간의 합)
  $= 80 + 45 = 125$(분)

> 참고 마지막으로 나무를 자른 다음에는 쉬는 시간이 없으므로 (쉬는 횟수)＝(자르는 횟수)라고 생각하지 않도록 주의합니다.

5

> 비법 PLUS＋ 열차가 다리를 완전히 통과할 때까지 간 거리는 다리의 길이와 열차의 길이의 합과 같습니다.

열차가 다리를 완전히 통과할 때까지 간 거리는
$984 \times 3 = 2952$(m)입니다.
따라서 다리의 길이를 $\square$ m라 하면
$\square + 150 = 2952$, $2952 - 150 = \square$, $\square = 2802$입니다.

6

> 비법 PLUS＋ 먼저 7을 곱했을 때 곱이 3801이 되는 바뀐 세 자리 수를 구합니다.

백의 자리 숫자와 일의 자리 숫자를 바꾼 세 자리 수를 ㉠㉡㉢이라 하면
㉠㉡㉢$\times 7 = 3801$에서 ㉢$\times 7$의 일의 자리는 1입니다. ⇨ ㉢$= 3$
㉡$\times 7$에 2를 더한 수가 $\square 0$이므로 ㉡$\times 7$의 일의 자리는 8입니다. ⇨ ㉡$= 4$
㉠$\times 7$에 3을 더한 수가 38이므로 ㉠$\times 7 = 35$입니다. ⇨ ㉠$= 5$
따라서 ㉠㉡㉢이 543이므로 처음 세 자리 수는 345입니다.

② 나눗셈

1 $<$	**2** 26
3 20개	**4** 15명
5 15명	**6** 12 cm

1 $80÷4=20$, $90÷3=30$
⇨ $20<30$

2 $60÷5=12$, $70÷5=14$
⇨ $12+14=26$

3 (한 명이 가지는 귤의 수)
   $=$(전체 귤의 수)÷(사람 수)
   $=40÷2=20$(개)

4 (한 대에 탈 수 있는 학생 수)
   $=$(전체 학생 수)÷(버스 수)
   $=75÷5=15$(명)

5 (전체 사탕의 수)
   $=$(딸기 맛 사탕의 수)$+$(포도 맛 사탕의 수)
   $=28+32=60$(개)
  ⇨ (나누어 줄 수 있는 사람 수)
     $=$(전체 사탕의 수)
       ÷(한 명에게 주는 사탕의 수)
     $=60÷4=15$(명)

6 정사각형은 네 변의 길이가 모두 같습니다.
  ⇨ (정사각형의 한 변)
     $=$(정사각형의 네 변의 길이의 합)÷4
     $=48÷4=12$(cm)

1 ㉢

2
$$\begin{array}{r} 231 \\ 4)\overline{924} \\ \underline{8} \\ 12 \\ \underline{12} \\ 4 \\ \underline{4} \\ 0 \end{array}$$

3 12명, 3장   **4** 46개, 1개

5 식 $88÷5=17…3$ 몫 17   나머지 3

6 59

---

1 ㉠ $26÷3=8…2$ ㉡ $15÷4=3…3$
   ㉢ $39÷5=7…4$ ㉣ $43÷6=7…1$
나머지의 크기를 비교하면 $4>3>2>1$이므로 나머지가 가장 큰 것은 ㉢입니다.

2 백의 자리에서 9 나누기 4의 몫이 2인데 1로 잘못 계산했습니다.

3 (전체 색종이의 수)$=7×9=63$(장)
$63÷5=12…3$이므로 12명이 사용할 수 있고, 3장이 남습니다.

4 (전체 귤의 수)÷(상자 수)$=185÷4=46…1$
따라서 한 상자에 귤을 46개씩 담을 수 있고, 1개가 남습니다.

5 나누는 수와 몫의 곱에 나머지를 더하면 나누어지는 수가 되어야 하므로 나누는 수는 5, 몫은 17, 나머지는 3입니다.
⇨ $88÷5=17…3$

6 어떤 수를 ▢라 하면 ▢$÷7=8…3$입니다.
나눗셈식을 맞게 계산했는지 확인하는 방법을 이용하면 $7×8=56$ ⇨ $56+3=59$이므로 어떤 수는 59입니다.

유형 ❶ (1) 72   (2) 72, 78
유제 **1** 7개   유제 **2** 64, 69
유형 ❷ (1) 58   (2) 14, 2
유제 **3** 28, 1
유제 **4** 풀이 참조, 12, 2
유형 ❸ (1) 1, 3   (2) 2, 7   (3) 8, 8
유제 **5** (위에서부터) 8 / 5, 1 / 4, 0 / 1
유제 **6** 4, 8
유형 ❹ (1) 26군데   (2) 27그루
유제 **7** 39개   유제 **8** 132개
유형 ❺ (1) 8, 6, 2   (2) 43
유제 **9** 32   유제 **10** 45
유형 ❻ (1) 18개, 4개   (2) 3개
유제 **11** 7개   유제 **12** 풀이 참조, 1개

유형 ① (1) $71 \div 6 = 11 \cdots 5$, $72 \div 6 = 12$이므로 70보다 크고 80보다 작은 자연수 중에서 6으로 나누어떨어지는 가장 작은 수는 72입니다.

(2) 72가 6으로 나누어떨어지므로 $72 + 6 = 78$도 6으로 나누어떨어집니다.

> **다른 풀이** $71 \div 6 = 11 \cdots 5$, $\underline{72 \div 6 = 12}$, $73 \div 6 = 12 \cdots 1$, $74 \div 6 = 12 \cdots 2$, $75 \div 6 = 12 \cdots 3$, $76 \div 6 = 12 \cdots 4$, $77 \div 6 = 12 \cdots 5$, $\underline{78 \div 6 = 13}$, $79 \div 6 = 13 \cdots 1$이므로 70보다 크고 80보다 작은 자연수 중에서 6으로 나누어떨어지는 수는 72, 78입니다.

유제 1 $51 \div 4 = 12 \cdots 3$, $52 \div 4 = 13$이므로 50보다 크고 80보다 작은 자연수 중에서 4로 나누어떨어지는 가장 작은 수는 52입니다.
52가 4로 나누어떨어지므로
$52 + 4 = 56$, $56 + 4 = 60$, $60 + 4 = 64$, $64 + 4 = 68$, $68 + 4 = 72$, $72 + 4 = 76$도 4로 나누어떨어집니다.
따라서 조건을 만족하는 수는 52, 56, 60, 64, 68, 72, 76으로 모두 7개입니다.

유제 2 $60 \div 5 = 12$로 60은 5로 나누어떨어지므로 60보다 크고 70보다 작은 자연수 중에서 5로 나누었을 때 나머지가 4인 가장 작은 수는 $60 + 4 = 64$입니다.
따라서 조건을 만족하는 수는 64, $64 + 5 = 69$입니다.

유형 ② (1) 어떤 수를 □라 하면 $□ \div 8 = 7 \cdots 2$입니다. 나눗셈식을 맞게 계산했는지 확인하는 방법을 이용하면 $8 \times 7 = 56$ ⇨ $56 + 2 = 58$이므로 □=58입니다.

(2) $58 \div 4 = 14 \cdots 2$이므로 몫은 14, 나머지는 2입니다.

유제 3 어떤 수를 □라 하면 $□ \div 7 = 12 \cdots 1$입니다.
$7 \times 12 = 84$ ⇨ $84 + 1 = 85$이므로 □=85입니다.
따라서 바르게 계산하면 $85 \div 3 = 28 \cdots 1$이므로 몫은 28, 나머지는 1입니다.

유제 4 例 어떤 수를 □라 하면 $□ \div 5 = 14 \cdots 4$입니다.
$5 \times 14 = 70$ ⇨ $70 + 4 = 74$이므로 □=74입니다. ❶
따라서 바르게 계산하면 $74 \div 6 = 12 \cdots 2$이므로 몫은 12, 나머지는 2입니다. ❷

> **채점 기준**
> | |
> |---|
> | ❶ 어떤 수 구하기 |
> | ❷ 바르게 계산했을 때의 몫과 나머지 각각 구하기 |

유형 ③ (1) $5 \div 3$의 몫이 1이므로 ㉠=1이고, $3 \times 1 = 3$이므로 ㉢=3입니다.

(2) $3 \times 9 = 27$이므로 ㉲=2, ㉺=7입니다.

(3) $2㉣ - 27 = 1$이므로 ㉣=8이고, ㉡=㉣=8입니다.

유제 5

$$\begin{array}{r} 1\,㉡ \\ ㉠)\overline{9\,㉢} \\ 5 \\ \hline 4\,1 \\ ㉣\,㉤ \\ \hline ㉥ \end{array}$$

㉠×1=5이므로 ㉠=5이고, 일의 자리에서 그대로 내려 쓴 수가 1이므로 ㉢=1입니다.
$41 \div 5$의 몫은 8이므로 ㉡=8이고 $5 \times 8 = 40$이므로 ㉣=4, ㉤=0입니다.
$41 - 40 = 1$이므로 ㉥=1입니다.

유제 6

$$\begin{array}{r} 1\,㉠ \\ 4)\overline{7\,★} \\ 4 \\ \hline 3\,㉡ \\ 3\,㉢ \\ \hline 2 \end{array}$$

$4 \times ㉠ = 3㉢$에서 $4 \times ㉠$의 십의 자리 수가 3인 경우는
$4 \times 8 = 32$, $4 \times 9 = 36$이므로
㉠=8, ㉢=2 또는
㉠=9, ㉢=6입니다.
㉠=8, ㉢=2일 때 $3㉡ - 32 = 2$이므로 ㉡=4이고 ★=4입니다.
㉠=9, ㉢=6일 때 $3㉡ - 36 = 2$이므로 ㉡=8이고 ★=8입니다.

유형 ④ (1) $156 \div 6 = 26$이므로 나무와 나무 사이의 간격은 모두 26군데입니다.

(2) 필요한 나무는 모두 $26 + 1 = 27$(그루)입니다.

유제 7 $114 \div 3 = 38$이므로 누름 못과 누름 못 사이의 간격은 모두 38군데입니다.
따라서 필요한 누름 못은 모두 $38 + 1 = 39$(개)입니다.

유제 **8** 260÷4=65이므로 가로등과 가로등 사이의 간격은 모두 65군데입니다.
따라서 도로의 한쪽에 필요한 가로등은 65+1=66(개)이므로 도로의 양쪽에 필요한 가로등은 모두 66×2=132(개)입니다.

유형 **⑤** (1) 수 카드로 가장 큰 몇십몇과 가장 작은 몇을 만들어야 합니다.
수 카드로 만들 수 있는 가장 큰 몇십몇은 86이고, 가장 작은 몇은 2입니다.
(2) 86÷2=43

유제 **9** 수 카드로 가장 큰 몇십몇과 가장 작은 몇을 만들어야 합니다.
수 카드로 만들 수 있는 가장 큰 몇십몇은 96이고, 가장 작은 몇은 3입니다.
⇨ 96÷3=32

유제 **10** 수 카드로 가장 작은 세 자리 수와 가장 큰 한 자리 수를 만들어야 합니다. 이때, 세 자리 수의 백의 자리에는 0이 올 수 없습니다.
수 카드로 만들 수 있는 가장 작은 세 자리 수는 405이고, 가장 큰 한 자리 수는 9입니다.
⇨ 405÷9=45

유형 **⑥** (1) (전체 감의 수)÷(줄 수)=130÷7=18…4이므로 감 130개를 한 줄에 18개씩 매달 수 있고, 4개가 남습니다.
(2) (더 필요한 감의 수)
=(줄 수)-(남은 감의 수)
=7-4=3(개)

유제 **11** (전체 마카롱의 수)÷(친구 수)
=155÷9=17…2이므로 마카롱 155개를 친구 9명에게 17개씩 나누어 주면 2개가 남습니다.
⇨ (더 만들어야 하는 마카롱의 수)
=(친구 수)-(남은 마카롱의 수)
=9-2=7(개)

유제 **12** 예 (전체 유리구슬의 수)÷(자른 실의 수)
=135÷8=16…7이므로 유리구슬 135개를 자른 실 한 개에 16개씩 꿰면 7개가 남습니다. ❶
따라서 유리구슬은 적어도
(자른 실의 수)-(남은 유리구슬의 수)
=8-7=1(개) 더 필요합니다. ❷

채점 기준
❶ 유리구슬 135개를 자른 실 8개에 똑같이 나누어 꿰면 몇 개씩 꿸 수 있고, 몇 개가 남는지 구하기
❷ 유리구슬은 적어도 몇 개 더 필요한지 구하기

상위권 문제 **확인과 응용** 36~39쪽

1 1, 4, 7	**2** 27번
3 풀이 참조, 18개	**4** 53, 54, 55
5 4, 7, 3	**6** 24일
7 68개	**8** 11 cm
9 풀이 참조, 3	**10** 24번
11 30년	**12** 20술

1
```
      2 ▲
  3)8 □
    6
    2 □
    2 □
      0
```
왼쪽 계산에서 나눗셈식이 나누어떨어지려면 3×▲=2□이어야 하고, 3의 단 곱셈구구에서 곱의 십의 자리 수가 2인 경우는 3×7=21, 3×8=24, 3×9=27입니다.
따라서 □ 안에 들어갈 수 있는 수는 1, 4, 7입니다.

2 (전체 단추의 수)=88+95=183(개)
183÷7=26…1에서 단추를 7개씩 26번 꺼내면 1개가 남으므로 1번 더 꺼내야 합니다.
따라서 단추를 모두 꺼내려면 적어도 26+1=27(번) 꺼내야 합니다.

3 예 (만든 정사각형 한 개의 네 변의 길이의 합)
=1×4=4(cm) ❶
따라서 74÷4=18…2이므로 만든 정사각형은 모두 18개입니다. ❷

채점 기준
❶ 정사각형의 네 변의 길이의 합 구하기
❷ 만든 정사각형의 개수 구하기

4 나머지는 나누는 수보다 작아야 하므로 ★은 4보다 작아야 합니다. $4 \times 13 = 52$ ⇨ $52 + ★ = \square$이고 ★이 될 수 있는 수는 1, 2, 3입니다.
★=1일 때 $\square = 52 + 1 = 53$,
★=2일 때 $\square = 52 + 2 = 54$,
★=3일 때 $\square = 52 + 3 = 55$입니다.
따라서 $\square$ 안에 들어갈 수 있는 자연수는 53, 54, 55입니다.

5 나머지는 나누는 수보다 항상 작아야 합니다.
· ㉡=3일 때, ㉢이 될 수 있는 수는 없습니다.
· ㉡=4일 때, ㉢=3, ㉠=7이므로
나눗셈식은 $97 \div 4 = 13 \cdots 3$이 됩니다.
⇨ $97 \div 4 = 24 \cdots 1$ (×)
· ㉡=7일 때, ㉢=3, ㉠=4 또는 ㉢=4, ㉠=3입니다.
㉡=7, ㉢=3, ㉠=4일 때,
나눗셈식은 $94 \div 7 = 13 \cdots 3$이 됩니다.
⇨ $94 \div 7 = 13 \cdots 3$ (○)
㉡=7, ㉢=4, ㉠=3일 때,
나눗셈식은 $93 \div 7 = 13 \cdots 4$가 됩니다.
⇨ $93 \div 7 = 13 \cdots 2$ (×)
따라서 ㉠=4, ㉡=7, ㉢=3입니다.

6 한 대의 기계가 하루에 하는 일의 양을 1이라 하면 9대의 기계가 16일 동안 한 일의 양은 $9 \times 16 = 144$입니다. 전체 일의 반을 했으므로 남은 일의 양도 144이고 이 일을 6대의 기계가 하면 $144 \div 6 = 24$(일)이 걸립니다.

7 60보다 크고 80보다 작은 자연수 중에서 5로 나누었을 때 나머지가 3인 수는 63, 68, 73, 78이고, 이 중에서 6으로 나누었을 때 나머지가 2인 수는 68입니다. 따라서 동훈이가 가지고 있는 구슬은 모두 68개입니다.

8 겹쳐진 부분은 6군데이므로 겹쳐진 부분의 길이의 합은 $3 \times 6 = 18$(cm)입니다.
(이어 붙인 색 테이프의 전체 길이)
=(색 테이프 7장의 길이의 합)
  -(겹쳐진 부분의 길이의 합)
⇨ (색 테이프 7장의 길이의 합)
  =(이어 붙인 색 테이프의 전체 길이)
    +(겹쳐진 부분의 길이의 합)
  =$59 + 18 = 77$(cm)
따라서 색 테이프 한 장의 길이는 $77 \div 7 = 11$(cm)입니다.

9 예 6개의 숫자 5, 3, 2, 1, 4, 2가 반복되어 놓이는 규칙입니다.」❶
$50 \div 6 = 8 \cdots 2$이므로 50번째에 놓이는 숫자는 5, 3, 2, 1, 4, 2가 8번 반복되어 놓인 후 두 번째에 놓이는 3입니다.」❷

채점 기준
❶ 규칙 알기
❷ 50번째에 놓이는 숫자 구하기

10 · 6시 1분~6시 59분:
1부터 59까지의 수 중에서 6으로 나누어떨어지는 수는 6, 12, 18, 24, 30, 36, 42, 48, 54로 9개입니다.
· 7시 1분~7시 59분:
1부터 59까지의 수 중에서 7로 나누어떨어지는 수는 7, 14, 21, 28, 35, 42, 49, 56으로 8개입니다.
· 8시 1분~8시 59분:
1부터 59까지의 수 중에서 8로 나누어떨어지는 수는 8, 16, 24, 32, 40, 48, 56으로 7개입니다.
⇨ $9 + 8 + 7 = 24$(번)

11 1년에 아프리카판은 2 cm, 호주-인도판은 7 cm 이동하므로 84 cm를 이동하는 데 아프리카판은 $84 \div 2 = 42$(년), 호주-인도판은 $84 \div 7 = 12$(년) 걸립니다.
따라서 84 cm를 이동하는 데 아프리카판은 호주-인도판보다 $42 - 12 = 30$(년) 더 오래 걸립니다.

12 10살인 윤후가 1회에 먹을 수 있는 해열제의 양은 3~7술이고 매번 최소 양을 먹었으므로 1회에 3술을 먹었습니다.
따라서 3술씩 6회 먹었더니 2술 남았으므로 처음에 있던 해열제의 양을 $\square$술이라 하면 $\square \div 3 = 6 \cdots 2$입니다.
$3 \times 6 = 18$ ⇨ $18 + 2 = 20$이므로 처음에 있던 해열제는 20술입니다.

최상위권 문제 40~41쪽

1 16	**2** 3시간 5분
3 3개	**4** 3분 20초 후
5 8 cm	**6** 192송이

1 • 8로 나누었을 때 나누어떨어지는 두 자리 수:
16, 24, 32, 40, 48, 56, 64, 72, 80, 88, 96

• 8로 나누었을 때 나누어떨어지는 두 자리 수 중에서 6으로 나누었을 때 나머지가 4인 수:
16, 40, 64, 88

⇨ 16, 40, 64, 88 중에서 일의 자리 수가 십의 자리 수보다 큰 수: 16

2 〔비법 PLUS +〕
• (자른 횟수)＝(토막 수)－1
• (쉬는 횟수)＝(자른 횟수)－1

• 1시간 24분＝84분이고 7토막으로 자르려면 7－1＝6(번) 잘라야 하므로 통나무를 한 번 자르는 데 걸리는 시간은 84÷6＝14(분)입니다.

• 11토막으로 자르려면 11－1＝10(번) 자르고, 10－1＝9(번) 쉬어야 합니다.

⇨ (통나무를 10번 자르는 데 걸리는 시간)
＝14×10＝140(분),
(쉬는 시간)＝5×9＝45(분)

따라서 통나무를 11토막으로 자르는 데 걸리는 시간은 모두 140＋45＝185(분) ⇨ 3시간 5분입니다.

3 7로 나누면 나머지가 5가 되는 가장 작은 두 자리 수는 7×1＝7 ⇨ 7＋5＝12입니다.

7로 나누면 나머지가 5가 되는 두 자리 수:
12, 19, 26, 33, 40, 47, 54, 61, 68, 75, 82, 89, 96 → 13개

9로 나누면 나머지가 8이 되는 가장 작은 두 자리 수는 9×1＝9 ⇨ 9＋8＝17입니다.

9로 나누면 나머지가 8이 되는 두 자리 수:
17, 26, 35, 44, 53, 62, 71, 80, 89, 98 → 10개

⇨ 13－10＝3(개)

4 〔비법 PLUS +〕 정민이는 동생보다 10초에 몇 m씩 더 걷는지 구하여 몇 초만에 80 m를 더 걷게 되는지 구합니다.

정민이는 동생보다 10초에 9－5＝4(m)씩 더 걷습니다.

정민이가 80 m 앞에 있는 동생을 만나는 것은 정민이가 걷기 시작한 지 80÷4＝20에서
20×10＝200(초) 후입니다.

⇨ 200초＝60초＋60초＋60초＋20초
＝3분 20초

5 〔비법 PLUS +〕 첫 번째 정사각형의 한 변의 길이를 구한 다음 두 번째, 세 번째에서 가장 작은 정사각형의 한 변의 길이를 구하여 규칙을 찾습니다.

첫 번째 정사각형의 한 변은 48÷4＝12(cm)입니다.
(두 번째에서 가장 작은 정사각형의 한 변)
＝12÷2＝6(cm),
(세 번째에서 가장 작은 정사각형의 한 변)
＝12÷3＝4(cm)……이므로
(6번째에서 가장 작은 정사각형의 한 변)
＝12÷6＝2(cm)입니다.

⇨ (6번째에 만든 가장 작은 정사각형 한 개의 네 변의 길이의 합)＝2＋2＋2＋2＝8(cm)

6 정사각형의 한 변에 심는 빨간색 튤립 사이의 간격은 72÷3＝24(군데)이고 정사각형의 네 꼭짓점에 모두 빨간색 튤립을 심으므로 정사각형의 한 변에 심는 빨간색 튤립은 24＋1＝25(송이)입니다.

정사각형의 네 변에 심는 빨간색 튤립의 수는 25×4＝100에서 네 꼭짓점에 한 송이씩 겹치는 것을 빼야 하므로 100－4＝96(송이)입니다.

정사각형의 한 변에 심는 노란색 튤립의 수는 빨간색 튤립 사이의 간격 수와 같으므로 72÷3＝24(송이)이고 정사각형의 네 변에 심는 노란색 튤립은 24×4＝96(송이)입니다.

따라서 튤립은 모두 96＋96＝192(송이) 심을 수 있습니다.

③ 원

핵심 개념과 문제 45쪽

1 점 ㄷ
2 선분 ㅇㄴ, 선분 ㅇㄷ, 선분 ㅇㅁ
3 7 cm   4 ③, ⑤
5 ㉡, ㉠, ㉢   6 8 m

---

1 원을 그릴 때에 누름 못이 꽂혔던 점을 찾으면 점 ㄷ입니다.

3 (원의 지름)=(정사각형의 한 변)=14 cm
⇨ (원의 반지름)=14÷2=7(cm)

4 ③ 지름은 원 안에 그을 수 있는 가장 긴 선분입니다.
⑤ 지름은 반지름의 2배입니다.

5 원의 반지름을 비교합니다.
㉠ (원의 반지름)=13 cm
㉡ (원의 반지름)=15 cm
㉢ (원의 반지름)=22÷2=11(cm)

6 큰 원 모양 화단의 반지름은 작은 원 모양 화단의 지름과 같습니다.
작은 원 모양 화단의 지름이 32÷2=16(m)이므로 작은 원 모양 화단의 반지름은 16÷2=8(m)입니다.

핵심 개념과 문제 47쪽

1
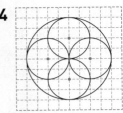

2 10 cm
3

/ 예 나침반의 반지름만큼 컴퍼스를 벌려 원을 그립니다.

---

4   5

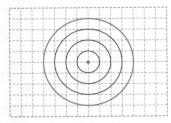

6 예 원의 중심을 같게 하고, 반지름을 모눈 1칸씩 늘려 가며 그리는 규칙입니다. /

1 컴퍼스의 침과 연필심 사이를 2 cm만큼 벌린 다음 컴퍼스의 침을 점 ㅇ에 꽂고 원을 그립니다.

2 컴퍼스를 이용하여 원을 그릴 때 컴퍼스의 침과 연필심 사이를 원의 반지름만큼 벌려야 합니다.

5 정사각형을 그린 후에 정사각형의 각 변의 한가운데 를 원의 중심으로 하는 원의 일부분을 4개 그립니다.

상위권 문제 48~53쪽

유형❶ (1) 4개 (2) 2개 (3) 3개
유제 **1** 4개   유제 **2** 10개
유형❷ (1) 5 cm (2) 20 cm (3) 30 cm
유제 **3** 18 cm
유제 **4** 풀이 참조, 32 cm
유형❸ (1) 7 cm / 7 cm / 7 cm (2) 21 cm
유제 **5** 40 cm   유제 **6** 26 cm
유형❹ (1) 8배 (2) 3 cm
유제 **7** 9 cm   유제 **8** 5 cm
유형❺ (1) 2 cm (2) 26 cm
유제 **9** 18 cm   유제 **10** 풀이 참조, 90 cm
유형❻ (1) 8배 (2) 24 mm
유제 **11** 18 mm   유제 **12** 3 cm

유형❶ (3) 모양을 그릴 때 이용된 원은 4개이고, 이 중 원의 중심이 같은 원은 2개이므로 원의 중심 은 모두 4−1=3(개)입니다.

참고 ▶

유제 **1** 모양을 그릴 때 이용된 원은 5개이고, 이 중 원의 중심이 같은 원은 2개입니다.
따라서 원의 중심은 모두 $5-1=4$(개)입니다.

> 참고

유제 **2** ・가: 모양을 그릴 때 이용된 원은 7개이고, 이 중 원의 중심이 같은 원은 3개이므로 원의 중심은 모두 $7-2=5$(개)입니다.
・나: 모양을 그릴 때 이용된 원은 6개이고, 이 중 원의 중심이 같은 원은 2개이므로 원의 중심은 모두 $6-1=5$(개)입니다.
따라서 두 모양을 그릴 때 원의 중심은 모두 $5+5=10$(개)입니다.

> 참고 가   나

유형 **2** (1) (작은 원의 지름)
$\quad$=(큰 원의 반지름)$=10$ cm
$\quad\Rightarrow$ (작은 원의 반지름)$=10\div2=5$(cm)
(2) (큰 원의 지름)$=10\times2=20$(cm)
(3) (선분 ㄱㄴ)
$\quad$=(작은 원의 반지름)$+$(큰 원의 지름)
$\qquad+$(작은 원의 반지름)
$\quad=5+20+5=30$(cm)

유제 **3** (중간 크기의 원의 반지름)
$\quad$=(가장 큰 원의 반지름)$\div2$
$\quad=24\div2=12$(cm)
(가장 작은 원의 반지름)
$\quad$=(중간 크기의 원의 반지름)$\div2$
$\quad=12\div2=6$(cm)
$\quad\Rightarrow$ (선분 ㄱㄴ)=(가장 작은 원의 반지름)
$\qquad\qquad+$(중간 크기의 원의 반지름)
$\qquad\qquad=6+12=18$(cm)

유제 **4** **예** (가장 작은 원의 지름)
$\quad$=(중간 크기의 원의 반지름)$=8$ cm이고,
(가장 작은 원의 반지름)
$\quad=8\div2=4$(cm)입니다.」 **❶**

따라서 선분 ㄱㄴ은
(가장 작은 원의 반지름)
$+$(중간 크기의 원의 반지름)
$+$(가장 작은 원의 지름)
$+$(가장 작은 원의 지름)
$+$(가장 작은 원의 반지름)
$=4+8+8+8+4=32$(cm)입니다.」 **❷**

> **채점 기준**
> **❶** 가장 작은 원의 지름과 반지름 각각 구하기
> **❷** 선분 ㄱㄴ의 길이 구하기

유형 **3** (1) (변 ㄱㄴ)=(변 ㄴㄷ)=(변 ㄷㄱ)
$\qquad\qquad$=(원의 반지름)$=7$ cm
(2) (삼각형 ㄱㄴㄷ의 세 변의 길이의 합)
$\quad$=(변 ㄱㄴ)$+$(변 ㄴㄷ)$+$(변 ㄷㄱ)
$\quad=7+7+7=21$(cm)

유제 **5** (원의 반지름)$=16\div2=8$(cm)
(변 ㄱㄴ)=(원의 반지름)$=8$ cm
(변 ㄴㄷ)=(변 ㄷㄱ)=(원의 반지름)$\times2$
$\qquad\qquad=8\times2=16$(cm)
$\Rightarrow$ (삼각형 ㄱㄴㄷ의 세 변의 길이의 합)
$\quad$=(변 ㄱㄴ)$+$(변 ㄴㄷ)$+$(변 ㄷㄱ)
$\quad=8+16+16=40$(cm)

유제 **6** (변 ㄱㄴ)=(큰 원의 반지름)$=9$ cm
(변 ㄷㄱ)=(작은 원의 반지름)$=6$ cm
(변 ㄴㄷ)=(두 원의 반지름의 합)
$\qquad\qquad-$(겹쳐진 부분의 길이)
$\qquad\qquad=15-4=11$(cm)
$\Rightarrow$ (삼각형 ㄱㄴㄷ의 세 변의 길이의 합)
$\quad$=(변 ㄱㄴ)$+$(변 ㄴㄷ)$+$(변 ㄷㄱ)
$\quad=9+11+6=26$(cm)

유형 **4** (2) (작은 원의 반지름)=(큰 원의 지름)$\div8$
$\qquad\qquad=24\div8=3$(cm)

유제 **7** 큰 원의 반지름은 작은 원의 반지름의 2배이므로 작은 원의 반지름은 큰 원의 반지름의 반입니다.
$\quad\Rightarrow$ (작은 원의 반지름)=(큰 원의 반지름)$\div2$
$\qquad\qquad=18\div2=9$(cm)

> **다른 풀이** 작은 원의 지름은 큰 원의 반지름과 같으므로 18 cm입니다.
> $\Rightarrow$ (작은 원의 반지름)$=18\div2=9$(cm)

유제 **8** 작은 원 8개를 서로 원의 중심이 지나도록 겹쳐서 그리면 오른쪽과 같으므로 큰 원의 지름은 작은 원의 반지름의 9배입니다.

⇨ (작은 원의 반지름)＝(큰 원의 지름)÷9
＝45÷9＝5(cm)

유형 **⑤** (1) 가장 작은 원의 반지름이 5 cm이고 두 번째로 작은 원의 반지름이 7 cm이므로 반지름은 7－5＝2(cm)씩 늘어나는 규칙이 있습니다.
(2) 가장 작은 원의 반지름이 5 cm이므로 5번째 원의 반지름은 5＋2＋2＋2＋2＝13(cm)입니다.
⇨ (5번째 원의 지름)＝13×2＝26(cm)

유제 **9** 가장 작은 원의 반지름은 6÷2＝3(cm)이고, 두 번째로 작은 원의 반지름은 3＋1＝4(cm)이므로 반지름이 1 cm씩 늘어나는 규칙이 있습니다. 따라서 7번째 원의 반지름이 3＋1＋1＋1＋1＋1＋1＝9(cm)이므로 7번째 원의 지름은 9×2＝18(cm)입니다.

유제 **10** (예) 반지름이 모눈 한 칸씩 늘어나므로 5 cm씩 늘어나는 규칙이 있습니다.」❶
따라서 가장 작은 원의 반지름이 5 cm이므로 9번째 원의 반지름은 5×9＝45(cm)이고, 9번째 원의 지름은 45×2＝90(cm)입니다.」❷

채점 기준
❶ 반지름이 몇 cm씩 늘어나는 규칙이 있는지 구하기
❷ 9번째 원의 지름 구하기

유형 **⑥** (1) 상자의 가로는 100원짜리 동전의 지름의 3배이고, 세로는 100원짜리 동전의 지름과 같으므로 상자의 네 변의 길이의 합은 100원짜리 동전의 지름의 3＋1＋3＋1＝8(배)입니다.
(2) (100원짜리 동전의 지름)
＝(상자의 네 변의 길이의 합)÷8
＝192÷8＝24(mm)

유제 **11** 상자의 한 변은 10원짜리 동전의 지름의 2배이므로 상자의 네 변의 길이의 합은 10원짜리 동전의 지름의 2＋2＋2＋2＝8(배)입니다.
⇨ (10원짜리 동전의 지름)
＝(상자의 네 변의 길이의 합)÷8
＝144÷8＝18(mm)

유제 **12** 상자의 가로는 통조림통의 지름의 4배이고, 세로는 통조림통의 지름과 같으므로 상자의 네 변의 길이의 합은 통조림통의 지름의 4＋1＋4＋1＝10(배)입니다.
6×10＝60이므로 통조림통의 지름은 6 cm입니다.
⇨ (통조림통의 반지름)
＝(통조림통의 지름)÷2＝6÷2＝3(cm)

상위권 문제	확인과 응용	54~57쪽

1 5 cm	**2** 22 cm
3 12 cm	**4** 10 cm
5 풀이 참조, 28 cm	**6** 56 cm
7 30 cm	**8** 풀이 참조, 4 cm
9 73 cm	**10** 8 cm
11 25 cm	**12** 18개

1 (중간 크기의 원의 반지름)
＝(가장 큰 원의 반지름)÷2
＝20÷2＝10(cm)
⇨ (가장 작은 원의 반지름)
＝(중간 크기의 원의 반지름)÷2
＝10÷2＝5(cm)

2 변 ㅇㄱ과 변 ㅇㄴ은 원의 반지름으로 길이가 같습니다.
원의 반지름을 □ cm라 하면 □＋9＋□＝31, □＋□＝22, □＝11입니다.
따라서 원의 지름은 11×2＝22(cm)입니다.

3 (큰 원의 반지름)＝36÷2＝18(cm)
큰 원의 지름은 작은 원의 반지름의 6배입니다.
(작은 원의 반지름)＝(큰 원의 지름)÷6
＝36÷6＝6(cm)
따라서 큰 원의 반지름과 작은 원의 반지름의 차는 18－6＝12(cm)입니다.

4 (가 원의 반지름)＝80÷2＝40(cm)
⇨ (나 원의 반지름)＝40÷4＝10(cm)
다른 풀이 나 원의 반지름을 □ cm라 하면 가 원의 반지름은 (□×4) cm이고, 지름은 (□×8) cm입니다. 따라서 가 원의 지름이 80 cm이므로 □×8＝80, □＝10입니다.

5 ⓔ 사각형 ㄱㄴㄷㄹ의 네 변의 길이를 각각 구하면
(변 ㄱㄴ)＝2＋4＝6(cm),
(변 ㄴㄷ)＝4＋3＝7(cm),
(변 ㄷㄹ)＝3＋5＝8(cm),
(변 ㄹㄱ)＝5＋2＝7(cm)입니다.」❶
따라서 사각형 ㄱㄴㄷㄹ의 네 변의 길이의 합은
6＋7＋8＋7＝28(cm)입니다.」❷

채점 기준
❶ 사각형 ㄱㄴㄷㄹ의 네 변의 길이 각각 구하기
❷ 사각형 ㄱㄴㄷㄹ의 네 변의 길이의 합 구하기

6 직사각형의 가로는 원의 반지름의 4배이므로 원의
반지름은 28÷4＝7(cm)입니다.
색칠한 사각형의 네 변은 모두 원의 반지름과 길이
가 같습니다.
⇨ (색칠한 사각형 2개의 모든 변의 길이의 합)
＝7×8＝56(cm)

7 큰 원의 지름은 직사각형의 세로와 같으므로 14 cm
이고, 큰 원의 반지름은 14÷2＝7(cm)입니다.
작은 원의 지름을 □ cm라 하면
14＋□＋14＋□＝40, □＋□＝12, □＝6입
니다.
따라서 작은 원의 반지름은 6÷2＝3(cm)이므로
선분 ㄱㄴ은 40－7－3＝30(cm)입니다.

8 ⓔ 큰 원의 지름이 13×2＝26(cm)이므로
(작은 원 4개의 지름의 합)－2－2－2＝26(cm)입
니다.
(작은 원 4개의 지름의 합)
＝26＋2＋2＋2＝32(cm)이므로 작은 원의 지름
은 32÷4＝8(cm)입니다.」❶
따라서 작은 원의 반지름은
8÷2＝4(cm)입니다.」❷

채점 기준
❶ 작은 원의 지름 구하기
❷ 작은 원의 반지름 구하기

9 원의 반지름을 □ cm라 하면
□＋□＝33＋7, □＋□＝40, □＝20입니다.
따라서 변 ㄱㄴ과 변 ㄱㄷ은 원의 반지름과 길이가
같으므로 삼각형 ㄱㄴㄷ의 세 변의 길이의 합은
20＋33＋20＝73(cm)입니다.

10 선분 ㄹㅁ의 길이는 4 cm의 2배인 8 cm보다 1 cm
더 길므로 9 cm입니다.
(선분 ㄱㄹ)＝4＋9＝13(cm)
(선분 ㄱㅂ)＝(선분 ㄱㅁ)＝4 cm
(선분 ㄴㅅ)＝(선분 ㄴㅂ)＝9－4＝5(cm)
⇨ (선분 ㄷㅅ)＝(선분 ㄴㄷ)－(선분 ㄴㅅ)
＝13－5＝8(cm)

11 가장 큰 원의 지름은 9점 원의 지름보다
5×8＝40(cm) 더 깁니다.
따라서 가장 큰 원의 지름이 10＋40＝50(cm)이므
로 가장 큰 원의 반지름은 50÷2＝25(cm)입니다.

12 24÷4＝6이므로 가로로는 절편을 6개까지 만들 수
있고, 12÷4＝3이므로 세로로는 절편을 3개까지
만들 수 있습니다.
따라서 절편은 6×3＝18(개)까지 만들 수 있습니다.

1	25 cm	**2**	13개
3	60 cm	**4**	88 cm
5	45개	**6**	8 cm

1 직사각형의 가로는 원의 반지름의 3배입니다.
(원의 반지름)＝27÷3＝9(cm)
따라서 변 ㄱㄴ과 변 ㄱㄷ은 원의 반지름과 길이가
같으므로 삼각형 ㄱㄴㄷ의 세 변의 길이의 합은
9＋7＋9＝25(cm)입니다.

2 비법 PLUS +   그린 원이 □개일 때 선분 ㄱㄴ의 길이는
원의 반지름의 몇 배인지 알아봅니다.

그린 원이 □개일 때 선분 ㄱㄴ의 길이는 원의 반지
름의 (□＋1)배입니다.
따라서 원의 반지름은 14÷2＝7(cm)이고,
98÷7＝14에서 그린 원은 모두 14－1＝13(개)입
니다.

3 원 3개로 (○○○) 모양을 반복하여 늘어놓는 규칙이고, 원 15개는 (○○○) 모양이 5번 반복됩니다.

((○○○) 모양이 1번일 때 직사각형의 가로)
=(원의 반지름)×4=3×4=12(cm)

⇨ ((○○○) 모양이 5번일 때 직사각형의 가로)
= ((○○○) 모양이 1번일 때 직사각형의 가로)×5
=12×5=60(cm)

4 (원의 반지름)=2÷2=1(cm)

원의 중심을 이어서 만든 직사각형의 가로는
1+26+1=28(cm)이고, 세로는
1+14+1=16(cm)입니다.

따라서 원의 중심을 이어서 만든 직사각형의 네 변의
길이의 합은 28+16+28+16=88(cm)입니다.

5 비법 PLUS+ 먼저 삼각형의 한 변의 길이를 구한 다음
몇 번째 그림인지 알아봅니다.

만든 삼각형에서 세 변의 길이는 모두 같으므로 삼
각형의 세 변의 길이의 합이 192 cm라면 한 변은
192÷3=64(cm)입니다.

□번째 그림에서 만든 삼각형의 한 변은
(8×□) cm이고 삼각형의 한 변이 64 cm이면
8×□=64, □=8이므로 8번째 그림입니다.

따라서 □번째 그림에서 그린 원의 수는
1+2+3+······+(□+1)이므로 8번째 그림에서
그린 원은 모두
1+2+3+4+5+6+7+8+9=45(개)입니다.

6 비법 PLUS+ (선분 ㄱㄴ)
=(고리 6개의 바깥쪽 지름의 합)
－(엮인 부분의 길이의 합)

고리 2개를 엮었을 때 엮인 부분의 길이는
3+3=6(cm)이고, 엮인 부분이 5군데이므로 엮인
부분의 길이의 합은 6×5=30(cm)입니다.

고리의 바깥쪽 지름을 □ cm라 하면
□×6=66+30, □×6=96, □=96÷6=16
입니다.

따라서 고리의 바깥쪽 반지름은 16÷2=8(cm)입
니다.

---

4 분수

핵심 개념과 문제   63쪽

1 3, $\frac{2}{3}$ 　　**2** (1) 20 (2) 45

3 3 　　**4** 3, 2, 1

5 예
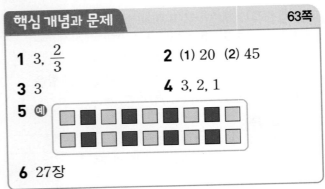

6 27장

1
 ⇨ 8은 12의 $\frac{2}{3}$ 입니다.

2 1시간은 60분입니다.

(1) 60분의 $\frac{1}{3}$ 은 20분입니다.

(2) 60분의 $\frac{3}{4}$ 은 45분입니다.

3 ・15를 5씩 묶으면 3묶음이 됩니다.

5는 15의 $\frac{1}{3}$ 입니다. ⇨ ㉠=1

・15를 3씩 묶으면 5묶음이 됩니다.

6은 15의 $\frac{2}{5}$ 입니다. ⇨ ㉡=2

따라서 ㉠+㉡=1+2=3입니다.

4 ・21의 $\frac{1}{3}$ 은 7입니다.

・35의 $\frac{2}{7}$ 는 10입니다.

・32의 $\frac{3}{8}$ 은 12입니다.

⇨ 12>10>7

5 ・파란색 □는 18의 $\frac{4}{9}$ 이므로 8개입니다.

・노란색 □는 18의 $\frac{5}{9}$ 이므로 10개입니다.

파란색 8개, 노란색 10개로 창의적으로 색칠하여 무
늬를 꾸밉니다.

6 사용한 색종이는 36의 $\frac{1}{4}$ 이므로 9장입니다.

⇨ (남은 색종이의 수)=36－9=27(장)

1 $\dfrac{5}{7}$, $\dfrac{3}{12}$ / $\dfrac{11}{10}$, $\dfrac{4}{4}$ / $3\dfrac{5}{6}$, $2\dfrac{8}{9}$

2 9개   **3** $\dfrac{12}{5}$

4 ①, ④   **5** $2\dfrac{1}{9}$, $1\dfrac{7}{9}$, $\dfrac{14}{9}$

6 6, 5 / $\dfrac{47}{7}$

1 • 진분수: 분자가 분모보다 작은 분수
   • 가분수: 분자가 분모와 같거나 분모보다 큰 분수
   • 대분수: 자연수와 진분수로 이루어진 분수

2 분모가 10인 진분수는 $\dfrac{1}{10}$, $\dfrac{2}{10}$, $\dfrac{3}{10}$, $\dfrac{4}{10}$, $\dfrac{5}{10}$, $\dfrac{6}{10}$, $\dfrac{7}{10}$, $\dfrac{8}{10}$, $\dfrac{9}{10}$이므로 모두 9개입니다.

3 • $\dfrac{17}{3}$ ⇨ 분모와 분자의 합: 20, 가분수
   • $\dfrac{6}{11}$ ⇨ 분모와 분자의 합: 17, 진분수
   • $\dfrac{12}{5}$ ⇨ 분모와 분자의 합: 17, 가분수
   따라서 조건에 맞는 분수는 $\dfrac{12}{5}$입니다.

4 ① $4\dfrac{1}{6}$ ⇨ $\dfrac{24}{6}$와 $\dfrac{1}{6}$ ⇨ $\dfrac{25}{6}$
   ④ $\dfrac{32}{7}$ ⇨ $\dfrac{28}{7}$과 $\dfrac{4}{7}$ ⇨ $4\dfrac{4}{7}$

5 $\dfrac{14}{9}$를 대분수로 나타내면
   $\dfrac{14}{9}$ ⇨ $\dfrac{9}{9}$와 $\dfrac{5}{9}$ ⇨ $1\dfrac{5}{9}$입니다.
   따라서 $2\dfrac{1}{9} > 1\dfrac{7}{9} > 1\dfrac{5}{9}$이므로
   $2\dfrac{1}{9} > 1\dfrac{7}{9} > \dfrac{14}{9}$입니다.

6 가장 큰 대분수를 만들려면 가장 큰 수인 6을 자연수 부분에 놓고 두 번째로 큰 수인 5를 분자에 놓아야 하므로 가장 큰 대분수는 $6\dfrac{5}{7}$입니다.
   따라서 $6\dfrac{5}{7}$를 가분수로 나타내면
   $6\dfrac{5}{7}$ ⇨ $\dfrac{42}{7}$와 $\dfrac{5}{7}$ ⇨ $\dfrac{47}{7}$입니다.

유형 ❶ (1) 7권 (2) 12권 (3) 9권
유제 **1** 16명   유제 **2** 20 cm
유형 ❷ (1) 4 (2) 40 (3) 8
유제 **3** 11   유제 **4** 18명
유형 ❸ (1) $4\dfrac{4}{6}$ (2) 1, 2, 3
유제 **5** 14   유제 **6** 풀이 참조, 8개
유형 ❹ (1) 3개 (2) 6개 (3) 9개
유제 **7** 9개   유제 **8** 풀이 참조, 12개
유형 ❺ (1) 18, 17, 16, 15 (2) 9, 16 (3) $\dfrac{9}{16}$
유제 **9** $\dfrac{12}{8}$ 유제 **10** $3\dfrac{2}{3}$
유형 ❻ (1) 25개 (2) $\dfrac{25}{8}$
유제 **11** $2\dfrac{14}{16}$ $\left(=2\dfrac{7}{8}\right)$

유형 ❶ (1) 연주에게 준 공책은 28의 $\dfrac{1}{4}$이므로 7권입니다.
   (2) 민지에게 준 공책은 28의 $\dfrac{3}{7}$이므로 12권입니다.
   (3) 28−7−12=9(권)

유제 **1** • 장래 희망이 의사인 학생은 36의 $\dfrac{2}{9}$이므로 8명입니다.
   • 장래 희망이 선생님인 학생은 36의 $\dfrac{1}{3}$이므로 12명입니다.
   ⇨ (장래 희망이 의사나 선생님이 아닌 학생 수)
   =36−8−12=16(명)

유제 **2** • 선물을 포장하는 데에 사용한 리본의 길이는 40 cm의 $\dfrac{2}{5}$이므로 16 cm입니다.
   • 선물을 포장하고 남은 리본의 길이는 40−16=24(cm)입니다.
   따라서 미술 시간에 사용한 리본의 길이는 24 cm의 $\dfrac{5}{6}$이므로 20 cm입니다.

유형 ❷ (1) $\dfrac{3}{10}$은 $\dfrac{1}{10}$이 3개이므로 어떤 수의 $\dfrac{1}{10}$은 12÷3=4입니다.

(2) 어떤 수의 $\frac{1}{10}$이 4이므로 어떤 수는

$4 \times 10 = 40$입니다.

(3) 40의 $\frac{1}{5}$은 8입니다.

유제 3 $\frac{6}{11}$은 $\frac{1}{11}$이 6개이므로 어떤 수의 $\frac{1}{11}$은

$48 \div 6 = 8$이고 어떤 수는 $8 \times 11 = 88$입니다.

따라서 88의 $\frac{1}{8}$은 11입니다.

유제 4 $\frac{2}{9}$는 $\frac{1}{9}$이 2개이므로 예은이네 반 전체 학생의

$\frac{1}{9}$은 $10 \div 2 = 5$(명)이고 예은이네 반 전체 학

생은 $5 \times 9 = 45$(명)입니다.

따라서 B형인 학생은 45의 $\frac{2}{5}$이므로 18명입니다.

유형 ③ (1) $\frac{28}{6}$ $\Rightarrow$ $\frac{24}{6}$와 $\frac{4}{6}$ $\Rightarrow$ $4\frac{4}{6}$

(2) $4\frac{\square}{6} < 4\frac{4}{6}$ $\Rightarrow$ $\square < 4$이므로 $\square$ 안에 들어

갈 수 있는 자연수는 1, 2, 3입니다.

유제 5 $3\frac{3}{4}$을 가분수로 나타내면

$3\frac{3}{4}$ $\Rightarrow$ $\frac{12}{4}$와 $\frac{3}{4}$ $\Rightarrow$ $\frac{15}{4}$입니다.

따라서 $\frac{15}{4} > \frac{\square}{4}$ $\Rightarrow$ $15 > \square$이므로 $\square$ 안에

들어갈 수 있는 자연수는 1부터 14까지이고

그중 가장 큰 수는 14입니다.

유제 6 예 $\frac{29}{9}$를 대분수로 나타내면

$\frac{29}{9}$ $\Rightarrow$ $\frac{27}{9}$과 $\frac{2}{9}$ $\Rightarrow$ $3\frac{2}{9}$,

$\frac{104}{9}$를 대분수로 나타내면

$\frac{104}{9}$ $\Rightarrow$ $\frac{99}{9}$와 $\frac{5}{9}$ $\Rightarrow$ $11\frac{5}{9}$입니다. ❶

따라서 $3\frac{2}{9} < \square\frac{1}{9} < 11\frac{5}{9}$에서 $\square$ 안에 들어

갈 수 있는 자연수는 4, 5, 6, 7, 8, 9, 10, 11

로 모두 8개입니다. ❷

채점 기준
❶ $\frac{29}{9}$와 $\frac{104}{9}$를 대분수로 각각 나타내기
❷ $\square$ 안에 들어갈 수 있는 자연수는 모두 몇 개인지 구하기

유형 ④ (1) $\frac{1}{2}$, $\frac{1}{5}$, $\frac{2}{5}$ $\Rightarrow$ 3개

(2) $\frac{5}{12}$, $\frac{2}{15}$, $\frac{5}{21}$, $\frac{1}{25}$, $\frac{2}{51}$, $\frac{1}{52}$ $\Rightarrow$ 6개

(3) $3 + 6 = 9$(개)

유제 7 • 분모가 2인 가분수: $\frac{4}{2}$, $\frac{7}{2}$, $\frac{47}{2}$, $\frac{74}{2}$ $\Rightarrow$ 4개

• 분모가 4인 가분수: $\frac{7}{4}$, $\frac{27}{4}$, $\frac{72}{4}$ $\Rightarrow$ 3개

• 분모가 7인 가분수: $\frac{24}{7}$, $\frac{42}{7}$ $\Rightarrow$ 2개

따라서 만들 수 있는 가분수는 모두

$4 + 3 + 2 = 9$(개)입니다.

유제 8 예 자연수 부분이 3인 대분수는 $3\frac{5}{6}$, $3\frac{5}{9}$, $3\frac{6}{9}$

으로 3개, 자연수 부분이 5인 대분수는 $5\frac{3}{6}$,

$5\frac{3}{9}$, $5\frac{6}{9}$으로 3개, 자연수 부분이 6인 대분수

는 $6\frac{3}{5}$, $6\frac{3}{9}$, $6\frac{5}{9}$로 3개, 자연수 부분이 9인

대분수는 $9\frac{3}{5}$, $9\frac{3}{6}$, $9\frac{5}{6}$로 3개입니다. ❶

따라서 만들 수 있는 대분수는 모두

$3 + 3 + 3 + 3 = 12$(개)입니다. ❷

채점 기준
❶ 자연수 부분이 될 수 있는 수를 생각하여 만들 수 있는 대분수는 각각 몇 개인지 구하기
❷ 만들 수 있는 대분수는 모두 몇 개인지 구하기

유형 ⑤ (3) 구하려는 진분수는 분모가 16, 분자가 9이므

로 $\frac{9}{16}$입니다.

다른 풀이 구하려는 진분수를 $\frac{▲}{■}$($■ > ▲$)라 하면

$■ + ▲ = 25$, $■ - ▲ = 7$입니다.

두 식을 더하면 $■ + ■ = 32$, $■ = 16$이므로

$■ + ▲ = 25$에서 $16 + ▲ = 25$, $▲ = 9$입니다.

따라서 구하려는 진분수는 $\frac{9}{16}$입니다.

유제 9

합이 20인	11	12	13	14
두 수	9	8	7	6

└• 차가 4인 두 수

따라서 분모와 분자의 합이 20이고 차가 4인 가

분수는 분모가 8, 분자가 12이므로 $\frac{12}{8}$입니다.

다른 풀이 구하려는 가분수를 $\frac{★}{●}$($★ > ●$)라 하면

$★ + ● = 20$, $★ - ● = 4$입니다.

두 식을 더하면 ★＋★＝24, ★＝120이므로

★＋●＝20에서 12＋●＝20, ●＝8입니다.

따라서 구하려는 가분수는 $\dfrac{12}{8}$입니다.

유제 10

합이 14인	8	9	10	11
두 수	6	5	4	3

└ 차가 8인 두 수

분모와 분자의 합이 14이고 차가 8인 가분수는

분모가 3, 분자가 11이므로 $\dfrac{11}{3}$입니다.

따라서 $\dfrac{11}{3}$을 대분수로 나타내면

$\dfrac{11}{3}$ ⇨ $\dfrac{9}{3}$와 $\dfrac{2}{3}$ ⇨ $3\dfrac{2}{3}$입니다.

다른 풀이 분모와 분자의 합이 14이고 차가 8인 가분수를

$\dfrac{★}{●}$(★＞●)이라 하면 ★＋●＝14, ★－●＝8입니다.

두 식을 더하면 ★＋★＝22, ★＝11이므로

★＋●＝14에서 11＋●＝14, ●＝3입니다.

따라서 $\dfrac{11}{3}$을 대분수로 나타내면

$\dfrac{11}{3}$ ⇨ $\dfrac{9}{3}$와 $\dfrac{2}{3}$ ⇨ $3\dfrac{2}{3}$입니다.

유형 6

(1) ①로 ②를 덮으려면 ①은 2개 필요하고,
①로 ③을 덮으려면 ①은 4개 필요합니다.
주어진 모양은 ①이 5개, ②가 6개, ③이 2개 있으므로 주어진 모양을 덮으려면 ①은 모두 25개 필요합니다.

(2) ①은 색종이 한 장의 $\dfrac{1}{8}$이므로 주어진 모양을 덮기 위해 필요한 색종이는 색종이 한 장의 $\dfrac{25}{8}$입니다.

유제 11

①로 ②를 덮으려면 ①은 2개 필요하고,
①로 ③을 덮으려면 ①은 8개 필요합니다.
주어진 모양은 ①이 8개, ②가 7개, ③이 3개 있으므로 주어진 모양을 덮으려면 ①은 모두 46개 필요합니다.

①은 색종이 한 장의 $\dfrac{1}{16}$이므로 주어진 모양을 덮기 위해 필요한 색종이는 색종이 한 장의 $\dfrac{46}{16}$입니다.

따라서 $\dfrac{46}{16}$을 대분수로 나타내면

$\dfrac{46}{16}$ ⇨ $\dfrac{32}{16}$와 $\dfrac{14}{16}$ ⇨ $2\dfrac{14}{16}$입니다.

---

1 $3\dfrac{8}{15}$		**2** 25	
3 노란색		**4** 9	
5 풀이 참조, $\dfrac{5}{8}$		**6** 36	
7 $\dfrac{17}{7}$, $\dfrac{18}{7}$, $\dfrac{19}{7}$, $\dfrac{20}{7}$			
8 풀이 참조, 36 m		**9** 20분	
10 11가지		**11** ㉢	
12 약 260 m			

1 가분수는 분모가 15, 분자가 68－15＝53이므로

$\dfrac{53}{15}$입니다. $\dfrac{53}{15}$을 대분수로 나타내면

$\dfrac{53}{15}$ ⇨ $\dfrac{45}{15}$와 $\dfrac{8}{15}$ ⇨ $3\dfrac{8}{15}$입니다.

따라서 어떤 대분수는 $3\dfrac{8}{15}$입니다.

2 $\dfrac{11}{4}＝2\dfrac{3}{4}$이고 $\dfrac{52}{7}＝7\dfrac{3}{7}$이므로 $2\dfrac{3}{4}$보다 크고

$7\dfrac{3}{7}$보다 작은 자연수는 3, 4, 5, 6, 7입니다.

따라서 두 수 사이에 있는 자연수의 합은

3＋4＋5＋6＋7＝25입니다.

3 • 파란색으로 염색한 리본의 길이는 48 m의 $\dfrac{3}{8}$이므로 18 m입니다.

• 노란색으로 염색한 리본의 길이는 48 m의 $\dfrac{5}{12}$이므로 20 m입니다.

• 초록색으로 염색한 리본의 길이는
48－18－20＝10(m)입니다.

따라서 20 m＞18 m＞10 m이므로 노란색으로 염색한 리본이 가장 깁니다.

4 $4\dfrac{7}{\square}$ ⇨ $\dfrac{4×\square}{\square}$와 $\dfrac{7}{\square}$ ⇨ $\dfrac{43}{\square}$

분자를 비교하면 4×□와 7을 더한 수가 43이므로

4×□＝36, □＝9입니다.

5 **예** 밤 56개를 한 봉지에 7개씩 담으면
56÷7＝8(봉지)가 됩니다. ❶
남은 밤 21개는 3봉지이므로 친구에게 준 밤은
8－3＝5(봉지)입니다. ❷

따라서 친구에게 준 밤은 전체 봉지의 $\dfrac{5}{8}$입니다. ❸

6 $\frac{5}{6}$는 $\frac{1}{6}$이 5개이므로 어떤 수의 $\frac{1}{6}$은 $20 \div 5 = 4$

이고 어떤 수는 $4 \times 6 = 24$입니다.

$1\frac{1}{2} = \frac{3}{2}$이고 $\frac{3}{2}$은 $\frac{1}{2}$이 3개입니다.

따라서 24의 $1\frac{1}{2}$은 24의 $\frac{3}{2}$이므로

$24 \div 2 = 12$, $12 \times 3 = 36$입니다.

7

합이 23인	13	14	15	16
두 수	10	9	8	7

└─● 차가 9인 두 수

분모와 분자의 합이 23이고 차가 9인 가분수는 분모

가 7, 분자가 16이므로 $\frac{16}{7}$입니다.

$\frac{16}{7}$과 분모가 같은 구하려는 가분수를 $\frac{\square}{7}$라 하면

$\frac{16}{7} < \frac{\square}{7} < 3$에서 $3 = \frac{21}{7}$이므로 $\frac{16}{7} < \frac{\square}{7} < \frac{21}{7}$

입니다.

따라서 구하려는 가분수는 $\frac{17}{7}$, $\frac{18}{7}$, $\frac{19}{7}$, $\frac{20}{7}$입니다.

8 ⑩ 첫 번째로 튀어 오른 공의 높이는 81 m의 $\frac{2}{3}$이므

로 54 m입니다.」❶

따라서 두 번째로 튀어 오른 공의 높이는 54 m의

$\frac{2}{3}$이므로 36 m입니다.」❷

9

탄 길이 $\left(\frac{4}{9}\right)$ 남은 길이 $\left(\frac{5}{9}\right)$

├──────┼──────┤
└─16분─┘

16분 동안 처음 양초의 길이의 $\frac{4}{9}$만큼 탔으므로

처음 양초의 길이의 $\frac{1}{9}$만큼 타는 데에 걸린 시간은

$16 \div 4 = 4$(분)입니다. 따라서 남은 양초는 처음 양

초의 길이의 $\frac{5}{9}$이므로 남은 양초가 모두 타려면 앞

으로 $4 \times 5 = 20$(분) 더 걸립니다.

10 $8 < ㉠ < 12$이므로 ㉠이 될 수 있는 수는 9, 10, 11

입니다.

$6 < ㉡ < 11$이므로 ㉡이 될 수 있는 수는 7, 8, 9,

10입니다.

$\frac{㉠}{㉡}$이 가분수가 되려면 ㉠ = ㉡ 또는 ㉠ > ㉡이어

야 합니다.

· ㉡ = 7일 때 ㉠이 될 수 있는 수는 9, 10, 11입니다.

  ⇨ 3가지

· ㉡ = 8일 때 ㉠이 될 수 있는 수는 9, 10, 11입니다.

  ⇨ 3가지

· ㉡ = 9일 때 ㉠이 될 수 있는 수는 9, 10, 11입니다.

  ⇨ 3가지

· ㉡ = 10일 때 ㉠이 될 수 있는 수는 10, 11입니다.

  ⇨ 2가지

따라서 $\frac{㉠}{㉡}$이 가분수가 되는 경우는 모두

$3 + 3 + 3 + 2 = 11$(가지)입니다.

11 $1\frac{8}{15} = \frac{23}{15}$이고 $1\frac{6}{15} = \frac{21}{15}$이므로

$\frac{17}{15}$ km $< \frac{21}{15}$ km $< \frac{23}{15}$ km $< \frac{27}{15}$ km입니다.

따라서 ㉡ < ㉢ < ㉠ < ㉣이므로 두 번째로 짧은

구간은 ㉢입니다.

12 $\frac{3}{16}$은 $\frac{1}{16}$이 3개이므로 전체 높이의 약 $\frac{1}{16}$은

약 $60 \div 3 = 20$(m)이고

전체 높이는 약 $20 \times 16 = 320$(m)입니다.

따라서 에펠 탑의 제1 전망대부터 꼭대기까지의

높이는 약 $320 - 60 = 260$(m)입니다.

최상위권 문제   **76~77쪽**

1 27, 35, 43 　　**2** $\frac{7}{23}$ / $\frac{4}{23}$ / $\frac{6}{23}$

3 $\frac{1}{19}$ 　　　　**4** $1\frac{1}{8}$

5 100송이 　　　**6** 18 cm

1 $2 < ㉠ < 6$이므로 ㉠이 될 수 있는 수는 3, 4, 5입니

다.

$㉠\frac{3}{8} = \frac{㉡}{8}$이므로

- ㉠=3일 때 $3\frac{3}{8}=\frac{27}{8}$이므로 ㉡=27입니다.
- ㉠=4일 때 $4\frac{3}{8}=\frac{35}{8}$이므로 ㉡=35입니다.
- ㉠=5일 때 $5\frac{3}{8}=\frac{43}{8}$이므로 ㉡=43입니다.

따라서 ㉡이 될 수 있는 수를 모두 구하면 27, 35, 43입니다.

2

> **비법 PLUS⁺** 세 진분수의 분자를 각각 ■, ▲, ●이라 하고 조건에 맞는 식을 만들어 봅니다.

㉮$=\frac{■}{23}$, ㉯$=\frac{▲}{23}$, ㉰$=\frac{●}{23}$이라 하면

■$+$▲$+$●$=17$이고 ■$=$▲$+3$, ●$=$▲$+2$입니다.

(▲$+3$)$+$▲$+($▲$+2)=17$, ▲$+$▲$+$▲$=12$에서 ▲$=4$이고 ■$=4+3=7$, ●$=4+2=6$입니다.

따라서 ㉮$=\frac{7}{23}$, ㉯$=\frac{4}{23}$, ㉰$=\frac{6}{23}$입니다.

3 가장 작은 분수가 되려면 분모는 가장 크고, 분자는 가장 작아야 합니다.

분자가 가장 작은 경우는 두 수의 차가 1일 때이고, 1부터 10까지의 자연수 중 두 수의 차가 1이면서 합이 가장 큰 경우는 두 수가 9, 10일 때입니다.

따라서 ㉠$=10$, ㉡$=9$이므로 만들 수 있는 분수 중에서 가장 작은 분수는

$\frac{㉠-㉡}{㉠+㉡}=\frac{10-9}{10+9}=\frac{1}{19}$입니다.

4

> **비법 PLUS⁺** 자연수를 분수로 나타낸 다음 어떤 규칙에 따라 수를 늘어놓은 것인지 알아봅니다.

$\underbrace{(\frac{2}{1})}_{1개}$, $\underbrace{(\frac{3}{1}, \frac{3}{2})}_{2개}$, $\underbrace{(\frac{4}{1}, \frac{4}{2}, \frac{4}{3})}_{3개}$, $\underbrace{(\frac{5}{1}, \frac{5}{2}, \frac{5}{3}, \frac{5}{4})}_{4개}$

......

$1+2+3+4+5+6+7+8=36$이므로 36번째에 놓일 수는 8번째 묶음의 8번째 수입니다.

따라서 8번째 묶음의 8번째 수는 분모가 8이고 분자가 9이므로 $\frac{9}{8}$이고, $\frac{9}{8}$를 대분수로 나타내면 $1\frac{1}{8}$입니다.

5

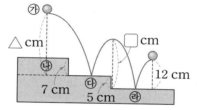

새로 가져온 장미 50송이는 새벽에 가져온 장미의 $\frac{2}{4}$와 같으므로 새벽에 가져온 장미의 $\frac{1}{4}$은 $50\div2=25$(송이)입니다.

따라서 새벽에 가져온 장미는 $25\times4=100$(송이)입니다.

6

> **비법 PLUS⁺** 공을 떨어뜨린 높이는 바닥의 높이를 포함하므로 주의하여 공과 바닥 사이의 거리를 구합니다.

- 두 번째로 떨어진 높이를 ☐ cm라 하면 $\frac{3}{5}$은 $\frac{1}{5}$이 3개이므로 ☐의 $\frac{1}{5}$은 $12\div3=4$(cm)이고 ☐$=4\times5=20$(cm)입니다.
  ⇨ (첫 번째로 튀어 오른 공과 바닥 ㉯ 사이의 거리)
  $=20-5=15$(cm)

- 첫 번째로 떨어진 높이를 △ cm라 하면 $\frac{3}{5}$은 $\frac{1}{5}$이 3개이므로 △의 $\frac{1}{5}$은 $15\div3=5$(cm)이고 △$=5\times5=25$(cm)입니다.

따라서 처음에 떨어뜨린 공과 바닥 ㉯ 사이의 거리는 $25-7=18$(cm)입니다.

5 들이와 무게

핵심 개념과 문제	81쪽

1 ④ 컵	**2** 3920 mL
3 6 L 640 mL	**4** 재하
5 450 mL	**6** 2 L 550 mL

1 부은 횟수가 적을수록 컵의 들이가 많습니다.
부은 횟수를 비교하면 8번<10번<12번이므로 ④
컵의 들이가 가장 많습니다.

2 3 L보다 920 mL 더 많은 들이이므로
3 L 920 mL가 됩니다.
⇨ 3 L 920 mL=3 L+920 mL
　　　　　　　=3000 mL+920 mL
　　　　　　　=3920 mL

3 들이가 가장 많은 것은 3 L 600 mL이고, 가장 적은 것은 3040 mL입니다.
⇨ 3 L 600 mL+3040 mL
　=3 L 600 mL+3 L 40 mL
　=6 L 640 mL

4 어림한 들이와 직접 잰 들이의 차를 구하면 재하는 150 mL이고, 소율이는 200 mL입니다.
따라서 어림한 들이와 직접 잰 들이의 차가 작을수록 가깝게 어림한 것이므로 직접 잰 들이와 더 가깝게 어림한 사람은 재하입니다.

5 (친구 3명에게 나누어 준 음료수의 양)
　=250×3=750(mL)
⇨ (남은 음료수의 양)=1 L 200 mL−750 mL
　　　　　　　　　　　=450 mL

6 (마시고 남은 물의 양)
　=3 L 500 mL−1 L 800 mL
　=1 L 700 mL
⇨ (물을 더 부은 후 생수통에 들어 있는 물의 양)
　=1 L 700 mL+850 mL
　=2 L 550 mL

핵심 개념과 문제	83쪽

1 토마토	**2** 1 kg 900 g
3 정아	**4** ㉠, ㉡, ㉢, ㉣
5 (위에서부터) 8, 840	**6** 100 g

1 토마토 2개의 무게는 귤 3개의 무게와 같으므로 더 무거운 것은 토마토입니다.

2 파인애플의 무게는 1100 g=1 kg 100 g이고,
그릇의 무게는 800 g입니다.
⇨ 1 kg 100 g+800 g=1 kg 900 g

3 어림한 무게와 실제 무게의 차를 구하면 지희는 300 g, 명수는 1 kg, 정아는 200 g입니다.
따라서 어림한 무게와 실제 무게의 차가 작을수록 가깝게 어림한 것이므로 실제 무게와 가장 가깝게 어림한 사람은 정아입니다.

4 ㉠ 5020 g=5 kg 20 g
㉣ 5 t=5000 kg
⇨ 5 kg 20 g<5 kg 200 g<50 kg 20 g<5000 kg
　　㉠　　　　㉡　　　　　㉢　　　　㉣

5
$$\begin{array}{r} ㉠\ \text{kg}\quad 620\ \text{g} \\ -\quad 4\ \text{kg}\quad ㉡\ \text{g} \\ \hline 3\ \text{kg}\quad 780\ \text{g} \end{array}$$
・1620−㉡=780 ⇨ ㉡=840
・㉠−1−4=3 ⇨ ㉠=8

6 (유리구슬 8개의 무게)
　=2 kg−1 kg 200 g=800 g
⇨ (유리구슬 1개의 무게)
　=800÷8=100(g)

상위권 문제	84~91쪽

유형 ❶ (1) 1 (2) 7번
유제 **1** 3번　　　　　　유제 **2** 6번
유형 ❷ (1) 17 kg 200 g (2) 31 kg 850 g
유제 **3** 970 g
유제 **4** 풀이 참조, 6 kg 70 g
유형 ❸ (1) 2 L 850 mL (2) 7 L 150 mL
유제 **5** 3 L 950 mL　　유제 **6** 5 L 230 mL
유형 ❹ (1) 900 g (2) 300 g (3) 850 g
유제 **7** 410 g　　　　　유제 **8** 1 kg 500 g

유형 **⑤** (1) 5 L (2) 2 L 500 mL

유제 **9** 1 L 700 mL　　유제 **10** 350 mL

유형 **⑥** (1) 192 g (2) 256 g

유제 **11** 120 g　　유제 **12** 500 g

유형 **⑦** (1) 450 mL (2) 20초

유제 **13** 6분　　유제 **14** 풀이 참조, 40분

유형 **⑧** (1) 100 g, 400 g (2) 300 g, 500 g

　　　　(3) 볼펜

유제 **15** 접시

유형 **①** (1) 나 컵의 들이가 가 컵의 들이의 2배이므로 가 컵에 가득 담아 2번 덜어 낸 물의 양은 나 컵에 가득 담아 1번 덜어 낸 물의 양과 같습니다.

(2) 그릇에 가득 채워진 물을 모두 덜어 내려면 나 컵에 가득 담아 $14 \div 2 = 7$(번) 덜어 내야 합니다.

유제 **1** 가 그릇에 가득 담아 5번 부은 물의 양은 나 그릇에 가득 담아 1번 부은 물의 양과 같습니다.

따라서 나 그릇을 사용하여 빈 주전자에 물을 가득 채우려면 적어도 $15 \div 5 = 3$(번) 부어야 합니다.

유제 **2** 물병의 들이는 컵의 들이의 $36 \div 6 = 6$(배)입니다.

따라서 컵에 물을 가득 담아 빈 물병에 물을 가득 채우려면 6번 부어야 합니다.

유형 **②** (1) (지난주에 모은 플라스틱류의 무게)

　　　　$+2 \text{ kg } 550 \text{ g}$

　　$= 14 \text{ kg } 650 \text{ g} + 2 \text{ kg } 550 \text{ g}$

　　$= 17 \text{ kg } 200 \text{ g}$

(2) $14 \text{ kg } 650 \text{ g} + 17 \text{ kg } 200 \text{ g}$

　　$= 31 \text{ kg } 850 \text{ g}$

유제 **3** (보원이의 몸무게)

　$= 40 \text{ kg } 750 \text{ g} - 2 \text{ kg } 530 \text{ g}$

　$= 38 \text{ kg } 220 \text{ g}$

⇨ (사전의 무게)

　　$= 39 \text{ kg } 190 \text{ g} - (보원이의 몸무게)$

　　$= 39 \text{ kg } 190 \text{ g} - 38 \text{ kg } 220 \text{ g}$

　　$= 970 \text{ g}$

유제 **4** 예 물건을 담은 가방의 무게는 빈 가방의 무게와 담은 물건의 무게를 더하면 되므로

$1 \text{ kg } 750 \text{ g} + 880 \text{ g} + 1 \text{ kg } 300 \text{ g}$

$= 3 \text{ kg } 930 \text{ g}$입니다.」❶

따라서 가방에 더 담을 수 있는 짐의 무게는

$10 \text{ kg} - 3 \text{ kg } 930 \text{ g} = 6 \text{ kg } 70 \text{ g}$입니다.」❷

채점 기준

❶ 물건을 담은 가방의 무게 구하기
❷ 가방에 더 담을 수 있는 짐의 무게 구하기

유형 **③** (1) $150 \times 5 = 750$(mL),

　　$300 \times 7 = 2100$(mL) → 2 L 100 mL

　　⇨ 750 mL + 2 L 100 mL

　　　$= 2 \text{ L } 850 \text{ mL}$

(2) $10 \text{ L} - 2 \text{ L } 850 \text{ mL} = 7 \text{ L } 150 \text{ mL}$

유제 **5** $200 \times 6 = 1200$(mL) → 1 L 200 mL,

$250 \times 2 = 500$(mL)

(부은 물의 양) $= 1 \text{ L } 200 \text{ mL} + 500 \text{ mL}$

　　　　　$= 1 \text{ L } 700 \text{ mL}$

⇨ (물통에 들어 있는 물의 양)

　$= 2 \text{ L } 250 \text{ mL} + 1 \text{ L } 700 \text{ mL}$

　$= 3 \text{ L } 950 \text{ mL}$

유제 **6** (페트병으로 3번 부은 물의 양)

　$= 1 \text{ L } 500 \text{ mL} + 1 \text{ L } 500 \text{ mL} + 1 \text{ L } 500 \text{ mL}$

　$= 4 \text{ L } 500 \text{ mL}$

(그릇에 들어 있는 물의 양)

　$= 4 \text{ L } 500 \text{ mL} + 2270 \text{ mL}$

　$= 4 \text{ L } 500 \text{ mL} + 2 \text{ L } 270 \text{ mL}$

　$= 6 \text{ L } 770 \text{ mL}$

⇨ (더 부어야 하는 물의 양)

　$= 12 \text{ L} - 6 \text{ L } 770 \text{ mL}$

　$= 5 \text{ L } 230 \text{ mL}$

유형 **④** (1) 주어진 두 무게의 차는 귤 3개의 무게입니다.

　⇨ $3 \text{ kg } 250 \text{ g} - 2 \text{ kg } 350 \text{ g}$

　　$= 900 \text{ g}$

(2) 귤 3개의 무게가 900 g이므로

　귤 1개의 무게는 $900 \div 3 = 300$(g)입니다.

(3) (귤 5개의 무게) $= 300 \times 5 = 1500$(g)

　　　　　　　　→ 1 kg 500 g

　⇨ (빈 바구니의 무게)

　　$= 2 \text{ kg } 350 \text{ g} - 1 \text{ kg } 500 \text{ g}$

　　$= 850 \text{ g}$

다른 풀이 (귤 8개의 무게) $= 300 \times 8 = 2400$(g)

　　　　　　　　→ 2 kg 400 g

⇨ (빈 바구니의 무게) $= 3 \text{ kg } 250 \text{ g} - 2 \text{ kg } 400 \text{ g}$

　　　　　　　　$= 850 \text{ g}$

유제 7 주어진 두 무게의 차는 장난감 2개의 무게입니다.
(장난감 2개의 무게)
$=2\,kg\,810\,g-2\,kg\,10\,g=800\,g$
(장난감 1개의 무게)$=800\div2=400(g)$
(장난감 4개의 무게)$=400\times4=1600(g)$
$\rightarrow1\,kg\,600\,g$
⇨ (빈 상자의 무게)
$=2\,kg\,10\,g-1\,kg\,600\,g=410\,g$

유제 8 주어진 두 무게의 차는 가득 담은 설탕 $\frac{1}{2}$의 무게, 즉 설탕 절반의 무게입니다.
(설탕 절반의 무게)$=4\,kg-2\,kg\,750\,g$
$=1\,kg\,250\,g$
⇨ (빈 유리병의 무게)
$=2\,kg\,750\,g-1\,kg\,250\,g$
$=1\,kg\,500\,g$

유형 5 (1) $17\,L\,200\,mL-12\,L\,200\,mL=5\,L$
(2) $5\,L=2\,L\,500\,mL+2\,L\,500\,mL$이므로 ㉮ 그릇에서 ㉯ 그릇으로 옮겨야 하는 물의 양은 차의 절반인 $2\,L\,500\,mL$입니다.
다른 풀이 (두 그릇에 들어 있는 물의 양의 합)
$=17\,L\,200\,mL+12\,L\,200\,mL$
$=29\,L\,400\,mL$
$29\,L\,400\,mL=14\,L\,700\,mL+14\,L\,700\,mL$이므로 두 그릇에 각각 $14\,L\,700\,mL$씩 담으면 됩니다.
⇨ (옮겨야 하는 물의 양)
$=17\,L\,200\,mL-14\,L\,700\,mL$
$=2\,L\,500\,mL$

유제 9 (두 수조에 들어 있는 물의 양의 차)
$=12\,L\,100\,mL-8\,L\,700\,mL$
$=3\,L\,400\,mL$
따라서 $3\,L\,400\,mL=1\,L\,700\,mL+1\,L\,700\,mL$이므로 ㉯ 수조에서 ㉮ 수조로 옮겨야 하는 물의 양은 차의 절반인 $1\,L\,700\,mL$입니다.

유제 10 (지아가 사용하고 남은 물의 양)
$=4\,L-1200\,mL$
$=4\,L-1\,L\,200\,mL$
$=2\,L\,800\,mL$
(두 사람이 가지고 있는 물의 양의 차)
$=3\,L\,500\,mL-2\,L\,800\,mL$
$=700\,mL$

따라서 $700\,mL=350\,mL+350\,mL$이므로 종수가 지아에게 주어야 하는 물의 양은 차의 절반인 $350\,mL$입니다.

유형 6 (1) (토마토 5개의 무게)$=$(복숭아 3개의 무게)
$=320\times3=960(g)$
⇨ (토마토 1개의 무게)$=960\div5=192(g)$
(2) (참외 3개의 무게)$=$(토마토 4개의 무게)
$=192\times4=768(g)$
⇨ (참외 1개의 무게)$=768\div3=256(g)$

유제 11 (사과 3개의 무게)$=$(배 2개의 무게)
$=450\times2=900(g)$
(사과 1개의 무게)$=900\div3=300(g)$
(귤 5개의 무게)$=$(사과 2개의 무게)
$=300\times2=600(g)$
⇨ (귤 1개의 무게)$=600\div5=120(g)$

유제 12 (딱풀 4개의 무게)$=$(지우개 5개의 무게)
$=160\times5=800(g)$
(딱풀 1개의 무게)$=800\div4=200(g)$
(가위 2개의 무게)$=$(딱풀 5개의 무게)
$=200\times5=1000(g)$
⇨ $500\times2=1000$이므로
가위 1개의 무게는 $500\,g$입니다.

유형 7 (1) $500\,mL-50\,mL=450\,mL$
(2) $450\,mL+450\,mL=900\,mL$이므로 $900\,mL$의 물을 받는 데 2초가 걸리고, $9\,L$는 $900\,mL$의 10배이므로 $9\,L$의 물을 받는 데 $2\times10=20$(초)가 걸립니다. 따라서 통에 물을 가득 채우려면 20초가 걸립니다.

유제 13 1분 동안 대야에 채워지는 물은
$7\,L-1\,L\,500\,mL=5\,L\,500\,mL$입니다.
$5\,L\,500\,mL+5\,L\,500\,mL=11\,L$이므로 $11\,L$의 물을 받는 데 2분이 걸리고, $33\,L$는 $11\,L$의 3배이므로 $33\,L$의 물을 받는 데 $2\times3=6$(분)이 걸립니다. 따라서 대야에 물을 가득 채우려면 6분이 걸립니다.

유제 14 📝 1분 동안 욕조에 채워지는 물은
$2\,L\,700\,mL+2\,L\,300\,mL=5\,L$,
$5\,L-750\,mL=4\,L\,250\,mL$입니다.」❶

$4\ \mathrm{L}\ 250\ \mathrm{mL} + 4\ \mathrm{L}\ 250\ \mathrm{mL}$
$+ 4\ \mathrm{L}\ 250\ \mathrm{mL} + 4\ \mathrm{L}\ 250\ \mathrm{mL} = 17\ \mathrm{L}$이므로
17 L의 물을 받는 데 4분이 걸리고, 170 L는
17 L의 10배이므로 170 L의 물을 받는 데
$4 \times 10 = 40$(분)이 걸립니다.
따라서 욕조에 물을 가득 채우려면 40분이 걸립니다.」❷

채점 기준
❶ 1분 동안 욕조에 채워지는 물의 양 구하기
❷ 욕조에 물을 가득 채우는 데 걸리는 시간 구하기

유형 ❽ (2) $400\ \mathrm{g} - 100\ \mathrm{g} = 300\ \mathrm{g}$,
$100\ \mathrm{g} + 400\ \mathrm{g} = 500\ \mathrm{g}$
(3) 주어진 추로 200 g은 잴 수 없으므로 무게를 잴 수 없는 물건은 볼펜입니다.

유제 **15** • 추를 1개만 사용하여 잴 수 있는 무게:
200 g, 300 g, 500 g
• 추 2개를 동시에 사용하여 잴 수 있는 무게:
$300\ \mathrm{g} - 200\ \mathrm{g} = 100\ \mathrm{g}$,
$500\ \mathrm{g} - 300\ \mathrm{g} = 200\ \mathrm{g}$,
$500\ \mathrm{g} - 200\ \mathrm{g} = 300\ \mathrm{g}$,
$200\ \mathrm{g} + 300\ \mathrm{g} = 500\ \mathrm{g}$,
$200\ \mathrm{g} + 500\ \mathrm{g} = 700\ \mathrm{g}$,
$300\ \mathrm{g} + 500\ \mathrm{g} = 800\ \mathrm{g}$
• 추 3개를 동시에 사용하여 잴 수 있는 무게:
$200\ \mathrm{g} + 300\ \mathrm{g} + 500\ \mathrm{g} = 1000\ \mathrm{g} = 1\ \mathrm{kg}$,
$200\ \mathrm{g} + 500\ \mathrm{g} - 300\ \mathrm{g} = 400\ \mathrm{g}$,
$300\ \mathrm{g} + 500\ \mathrm{g} - 200\ \mathrm{g} = 600\ \mathrm{g}$
따라서 주어진 추로 900 g은 잴 수 없으므로 무게를 잴 수 없는 물건은 접시입니다.

상위권 문제	확인과 응용	92~95쪽
1 어항	**2** 2 L 600 mL	
3 63 kg 200 g	**4** 풀이 참조, 500 mL	
5 4채		
6 풀이 참조, 11 kg 700 g		
7 700 mL	**8** 7번	
9 25, 10, 15, 30		
10 150 g	**11** 2 L 800 mL	
12 5 kg 550 g		

1 생수통의 들이는 컵 9개,
꽃병의 들이는 컵 $9 - 3 = 6$(개),
어항의 들이는 컵 $6 + 5 = 11$(개)와 같습니다.
따라서 컵의 수를 비교하면 $11 > 9 > 6$이므로 들이가 가장 많은 것은 어항입니다.

2 (동생이 마신 우유의 양) = (남은 우유의 양)
$= 650\ \mathrm{mL}$
(우진이가 마신 우유의 양) $= 650\ \mathrm{mL} + 650\ \mathrm{mL}$
$= 1300\ \mathrm{mL}$
$= 1\ \mathrm{L}\ 300\ \mathrm{mL}$
⇨ (처음 병에 들어 있던 우유의 양)
$= 1\ \mathrm{L}\ 300\ \mathrm{mL} + 1\ \mathrm{L}\ 300\ \mathrm{mL}$
$= 2\ \mathrm{L}\ 600\ \mathrm{mL}$

3 (희진이 몸무게의 2배인 무게)
$= 29\ \mathrm{kg}\ 700\ \mathrm{g} + 29\ \mathrm{kg}\ 700\ \mathrm{g}$
$= 59\ \mathrm{kg}\ 400\ \mathrm{g}$
⇨ (삼촌의 몸무게) $= 59\ \mathrm{kg}\ 400\ \mathrm{g} + 3\ \mathrm{kg}\ 800\ \mathrm{g}$
$= 63\ \mathrm{kg}\ 200\ \mathrm{g}$

4 예 형석이가 마신 주스는
$850\ \mathrm{mL} + 200\ \mathrm{mL} = 1\ \mathrm{L}\ 50\ \mathrm{mL}$입니다.」❶
선미와 형석이가 마신 주스는
$850\ \mathrm{mL} + 1\ \mathrm{L}\ 50\ \mathrm{mL} = 1\ \mathrm{L}\ 900\ \mathrm{mL}$입니다.」❷
따라서 두 사람이 마시고 남은 주스는
$2\ \mathrm{L}\ 400\ \mathrm{mL} - 1\ \mathrm{L}\ 900\ \mathrm{mL} = 500\ \mathrm{mL}$입니다.」❸

채점 기준
❶ 형석이가 마신 주스의 양 구하기
❷ 선미와 형석이가 마신 주스의 양 구하기
❸ 두 사람이 마시고 남은 주스의 양 구하기

5 (지우네 마을 세 가구의 귤 수확량)
$= 2570 + 3000 + 4430 = 10000\ (\mathrm{kg}) \rightarrow 10\ \mathrm{t}$
$10 \div 3 = 3 \cdots 1$이므로 귤을 3 t씩 창고 3채에 보관하면 1 t이 남습니다.
따라서 남는 1 t도 보관해야 하므로 창고가 적어도 $3 + 1 = 4$(채) 필요합니다.

6 예 $2600\ \mathrm{g} = 2\ \mathrm{kg}\ 600\ \mathrm{g}$이고,
$20\ \mathrm{kg}\ 800\ \mathrm{g} - 2\ \mathrm{kg}\ 600\ \mathrm{g} = 18\ \mathrm{kg}\ 200\ \mathrm{g}$이므로
미영이가 가져가는 감자의 무게는
18 kg 200 g의 절반인 9 kg 100 g입니다.」❶

따라서 은지가 가져가는 감자의 무게는
9 kg 100 g+2 kg 600 g=11 kg 700 g입니다. ❷

> **채점 기준**
> ❶ 미영이가 가져가는 감자의 무게 구하기
> ❷ 은지가 가져가는 감자의 무게 구하기

7 (㉮ 물통에 들어 있는 물의 양)
=5 L 300 mL−700 mL=4 L 600 mL
(㉯ 물통에 들어 있는 물의 양)
=2 L 800 mL+400 mL=3 L 200 mL
⇨ (두 물통에 들어 있는 물의 양의 차)
=4 L 600 mL−3 L 200 mL
=1 L 400 mL
따라서 1 L 400 mL=700 mL+700 mL이므로
㉮ 물통에서 ㉯ 물통으로 옮겨야 하는 물의 양은 차의 절반인 700 mL입니다.

8 300×3=900(mL),
400×4=1600(mL) → 1 L 600 mL
(물통에 들어 있는 물의 양)
=900 mL+1 L 600 mL=2 L 500 mL
⇨ (더 부어야 하는 물의 양)
=6 L−2 L 500 mL
=3 L 500 mL=3500 mL
따라서 500×7=3500이므로 이 물통에 물을 가득 채우려면 들이가 500 mL인 컵으로 적어도 7번 더 부어야 합니다.

9 각 저울을 보고 수평을 이용하여 식을 만들면 다음과 같습니다.
[저울 1] (공 ㉮의 무게)+15 g
=(공 ㉯의 무게)+(공 ㉱의 무게)
[저울 2] (공 ㉯의 무게)+15 g=(공 ㉮의 무게)
[저울 3] (공 ㉯의 무게)+15 g=(공 ㉱의 무게)
• [저울 1] 식의 공 ㉮의 무게 대신에 [저울 2] 식의 (공 ㉯의 무게)+15 g을 써넣으면 공 ㉱의 무게를 구할 수 있습니다.
(공 ㉯의 무게)+15 g+15 g
=(공 ㉯의 무게)+(공 ㉱의 무게)
⇨ (공 ㉱의 무게)=15 g+15 g=30 g
• [저울 3] 식에 공 ㉱의 무게를 넣으면 공 ㉯의 무게를 구할 수 있습니다.
(공 ㉯의 무게)+15 g=30 g
⇨ (공 ㉯의 무게)=30 g−15 g=15 g
• 공 ㉮와 ㉯의 무게는 각각 10 g, 25 g 중 하나이고 [저울 2]의 식에서 10 g+15 g=25 g이므로

(공 ㉮의 무게)=25 g, (공 ㉯의 무게)=10 g
입니다.

10 • (사과 4개의 무게)=(배 2개의 무게)이므로
(사과 4개의 무게)+(배 4개의 무게)=3000 g에서
=(배 2개의 무게)
(배 6개의 무게)=3000 g이고,
500×6=3000이므로 배 1개의 무게는 500 g입니다.
• (사과 4개의 무게)=(배 2개의 무게)
=500×2=1000(g)이고,
250×4=1000이므로
사과 1개의 무게는 250 g입니다.
• (귤 5개의 무게)=(사과 3개의 무게)
=250×3=750(g)
⇨ (귤 1개의 무게)=750÷5=150(g)

11 떡국 1인분을 만드는 데 필요한 물은
4÷2=2(컵)이므로 200×2=400(mL)입니다.
따라서 떡국 7인분을 만드는 데 필요한 물은
400×7=2800(mL) → 2 L 800 mL입니다.

12 돼지고기 3근은 600×3=1800(g) → 1 kg 800 g
이고 양파 1관은 3 kg 750 g입니다.
따라서 수홍이 어머니께서 사신 물건은 모두
1 kg 800 g+3 kg 750 g=5 kg 550 g입니다.

> **최상위권 문제**   96~97쪽
>
> **1** 105 kg   **2** 1 L 100 mL
> **3** 22 kg 500 g   **4** 2분
> **5** 2 L 700 mL   **6** 13가지

1 선영, 정수, 민희의 몸무게를 각각 ㉠, ㉡, ㉢이라 하면 ㉠+㉡=72 kg 350 g,
㉡+㉢=68 kg 600 g,
㉢+㉠=69 kg 50 g입니다.
세 식을 더하면
㉠+㉡+㉡+㉢+㉢+㉠
=72 kg 350 g+68 kg 600 g+69 kg 50 g
=210 kg입니다.
㉠+㉡+㉢+㉠+㉡+㉢=210 kg
⇨ ㉠+㉡+㉢=105 kg
따라서 세 사람의 몸무게의 합은 105 kg입니다.

2

비법 PLUS+ ㉯ 병에 담은 주스의 양을 □라 하고 ㉮ 병과 ㉰ 병에 담은 주스의 양을 □를 사용하여 나타냅니다.

㉯ 병에 담은 주스의 양을 □라 하면 ㉮ 병에 담은 주스의 양은 □−200 mL, ㉰ 병에 담은 주스의 양은 □+250 mL입니다.

어머니께서 만든 주스가 3 L 350 mL이므로 세 병에 담은 주스의 양의 합은 3 L 350 mL입니다.

□−200 mL+□+□+250 mL

=3 L 350 mL,

□+□+□=3 L 300 mL에서

1 L 100 mL+1 L 100 mL+1 L 100 mL

=3 L 300 mL이므로 □=1 L 100 mL입니다.

따라서 ㉯ 병에 담은 주스는 1 L 100 mL입니다.

3

비법 PLUS+ 먼저 추가 요금을 구한 다음 추가 요금을 이용해 20 kg에서 추가된 짐의 무게를 알아봅니다.

짐을 부치는 데 6000원의 요금을 냈으므로 추가 요금은 6000−4000=2000(원)입니다.

400×5=2000이므로 20 kg에서 추가된 무게는

500×5=2500(g) → 2 kg 500 g입니다.

따라서 다영이가 부친 짐은

20 kg+2 kg 500 g=22 kg 500 g입니다.

4

비법 PLUS+ 먼저 가 수도만 튼 시간 동안 받은 물의 양과 가와 나 수도를 모두 튼 시간 동안 받은 물의 양을 각각 구합니다.

물이 나 수도에서는 1분에

3 L 500 mL+3 L 500 mL=7 L씩 나옵니다.

(가 수도만 틀어서 3분 동안 받은 물의 양)

=3 L 500 mL+3 L 500 mL+3 L 500 mL

=10 L 500 mL

(가와 나 수도를 모두 틀어서 1분 동안 받은 물의 양)

=3 L 500 mL+7 L=10 L 500 mL

받은 물의 양의 합이 35 L이므로

(나 수도만 틀어서 받은 물의 양)

=35 L−10 L 500 mL−10 L 500 mL

=14 L입니다.

따라서 14 L=7 L+7 L이므로 나 수도만 튼 시간은 2분입니다.

5

비법 PLUS+ ■의 $\dfrac{1}{●}$은 ■를 똑같이 ●묶음으로 묶은 것 중의 1묶음입니다.

5 L=5000 mL이므로

은교가 가져간 물은

5000 mL의 $\dfrac{1}{10}$인 500 mL입니다.

은교가 가져가고 남은 물은

5000 mL−500 mL=4500 mL이므로

지후가 가져간 물은

4500 mL의 $\dfrac{1}{5}$인 900 mL입니다.

은교와 지후가 가져가고 남은 물은

4500 mL−900 mL=3600 mL이므로

경민이가 가져간 물은 3600 mL의 $\dfrac{1}{4}$인

900 mL입니다.

따라서 항아리에 남은 물은

3600 mL−900 mL

=2700 mL

=2 L 700 mL입니다.

6

비법 PLUS+ 1 g짜리 추 5개는 5 g짜리 추 1개의 무게와 같음을 이용하여 중복되지 않게 25 g인 물건의 무게를 재는 방법을 모두 찾아봅니다.

• 1 g짜리 추 25개 사용
• 1 g짜리 추 20개, 5 g짜리 추 1개 사용
• 1 g짜리 추 15개, 5 g짜리 추 2개 사용
• 1 g짜리 추 15개, 10 g짜리 추 1개 사용
• 1 g짜리 추 10개, 5 g짜리 추 3개 사용
• 1 g짜리 추 10개, 5 g짜리 추 1개,
  10 g짜리 추 1개 사용
• 1 g짜리 추 5개, 5 g짜리 추 4개 사용
• 1 g짜리 추 5개, 5 g짜리 추 2개,
  10 g짜리 추 1개 사용
• 1 g짜리 추 5개, 10 g짜리 추 2개 사용
• 5 g짜리 추 5개 사용
• 5 g짜리 추 3개, 10 g짜리 추 1개 사용
• 5 g짜리 추 1개, 10 g짜리 추 2개 사용
• 25 g짜리 추 1개 사용

따라서 25 g인 물건의 무게를 재는 방법은 모두 13가지입니다.

6 자료의 정리

핵심 개념과 문제　　　101쪽

1 8, 5, 4, 9, 26　　2 4개
3 예 • 감자가 가장 많습니다.
　　• 채소 가게에 있는 채소는 모두 26개입니다.
4 37그루
5

마을별 나무 수

마을	나무 수
장수	◎◎◎ ○○○○○○
햇살	◎◎◎◎◎ ○○○○○○
초록	◎◎◎ ○○○○○○○
샘터	◎◎ ○○○○○

◎10그루　○1그루

6

마을별 나무 수

마을	나무 수
장수	◎◎◎ △○
햇살	◎◎◎◎ △○○○
초록	◎◎◎ △○○
샘터	◎◎ △

◎10그루　△5그루　○1그루

1 (합계)=8+5+4+9=26(개)
2 8-4=4(개)
4 146-36-48-25=37(그루)
5 • 햇살 마을: ◎ 4개, ○ 8개
　• 초록 마을: ◎ 3개, ○ 7개
　• 샘터 마을: ◎ 2개, ○ 5개

상위권 문제　　　102~107쪽

유형❶ (1) 41대, 22대　(2) 19대
유제 1 풀이 참조, 570곳
유형❷ (1) 10권 / 1권　(2) 52권
유제 2 370마리
유형❸ (1) 99개　(2) 7920원
유제 3 풀이 참조, 280개
유형❹ (1) 24명　(2) 21명
　　　(3) (위에서부터) 21, 63 / 24, 62

유제 4 (위에서부터) 3, 28 / 9, 31
유형❺ (1) 9송이 / 11송이　(2) 12송이 / 8송이
(3)

하루 동안 팔린 꽃의 수

종류	꽃의 수
장미	◎◎○○
튤립	◎○○○○
백합	◎○○○
국화	◎◎○

◎5송이
○1송이

유제 5

학생들이 좋아하는 우리나라 음식

음식	학생 수
불고기	◎◎○○○
비빔밥	◎○○
잡채	◎○○○○○○○
냉면	○○○○○○○○○

◎10명
○1명

유형❻ (1) 78가구　(2) 42가구
유제 6 190상자

유형❶ (1) • 판매량이 가장 많은 달: 4월(41대)
　　　• 판매량이 가장 적은 달: 6월(22대)
　　(2) 41-22=19(대)

유제 1 예 의료 기관이 가장 많은 지역은 다 지역으로 340곳이고, 의료 기관이 두 번째로 적은 지역은 나 지역으로 230곳입니다.」❶
따라서 340+230=570(곳)입니다.」❷

　채점 기준
　❶ 의료 기관이 가장 많은 지역과 두 번째로 적은 지역의 의료 기관의 수 각각 구하기
　❷ 의료 기관이 가장 많은 지역과 두 번째로 적은 지역의 의료 기관의 수의 합 구하기

유형❷ (1) 1반의 학급 문고가 35권이므로 큰 그림 3개와 작은 그림 5개가 35권입니다.
따라서 큰 그림은 10권, 작은 그림은 1권을 나타냅니다.
(2) 3반에 있는 학급 문고는 10권 그림이 5개, 1권 그림이 2개이므로 52권입니다.

유제 2 가람 목장에서 키우는 젖소가 240마리이므로 큰 그림 2개와 작은 그림 4개가 240마리입니다.
⇨ 큰 그림은 100마리, 작은 그림은 10마리를 나타냅니다.
따라서 푸른 목장에서 키우는 젖소는 100마리 그림이 3개, 10마리 그림이 7개이므로 370마리입니다.

유형 ③ (1) (팔린 젤리의 수)
　　　＝25＋23＋34＋17＝99(개)
(2) (팔린 젤리의 값)
　　　＝80×99＝7920(원)

유제 3 ⓓ 전체 밀가루 생산량은
160＋310＋240＋130＝840(kg)입니다.」❶
따라서 필요한 봉지는 모두 840÷3＝280(개)
입니다.」❷

채점 기준
❶ 전체 밀가루 생산량 구하기
❷ 필요한 봉지의 수 구하기

유형 ④ (1) (수영을 체험하고 싶은 여학생 수)
　　　＝12×2＝24(명)
(2) (탁구를 체험하고 싶은 남학생 수)
　　　＝14＋19－12＝21(명)
(3) • (남학생 수의 합계)
　　　＝14＋18＋21＋10＝63(명)
• (여학생 수의 합계)
　　　＝19＋24＋12＋7＝62(명)

유제 4 • (은우네 반의 AB형인 학생 수)
　　　＝9÷3＝3(명)
• (재희네 반의 A형인 학생 수)
　　　＝10＋12－4－9＝9(명)
• (은우네 반 학생 수의 합계)
　　　＝9＋10＋6＋3＝28(명)
• (재희네 반 학생 수의 합계)
　　　＝9＋12＋5＋5＝31(명)

유형 ⑤ (1) 튤립은 5송이 그림이 1개, 1송이 그림이 4개
이므로 9송이이고, 국화는 5송이 그림이 2개,
1송이 그림이 1개이므로 11송이입니다.
(2) 팔린 백합의 수를 □송이라 하면
팔린 장미의 수는 (□＋4)송이이므로
(□＋4)＋9＋□＋11＝40입니다.
　⇨ □＋□＋24＝40, □＋□＝16,
　　□＝8
따라서 팔린 백합은 8송이이고, 팔린 장미는
8＋4＝12(송이)입니다.
(3) 장미는 5송이 그림 2개, 1송이 그림 2개를
그리고, 백합은 5송이 그림 1개, 1송이 그림
3개를 그립니다.

유제 5 • 불고기를 좋아하는 학생은 23명이고, 비빔밥을
좋아하는 학생은 12명입니다.
• 냉면을 좋아하는 학생 수를 □명이라 하면 잡
채를 좋아하는 학생 수는 (□×2)명이므로
　　　　　　　　　　　└•□＋□
23＋12＋(□＋□)＋□＝62입니다.
　⇨ 35＋□＋□＋□＝62,
　　□＋□＋□＝27, □＝9
따라서 냉면을 좋아하는 학생은 9명이고, 잡채
를 좋아하는 학생은 9×2＝18(명)입니다.

유형 ⑥ (1) 강의 북쪽에 있는 마을은 푸른 마을, 하늘 마
을이므로 가구 수의 합은 42＋36＝78(가구)
입니다.
(2) 도로의 동쪽에 있는 마을은 하늘 마을, 기쁨
마을이므로 36＋(기쁨 마을)＝78입니다.
따라서 기쁨 마을의 가구는
78－36＝42(가구)입니다.

유제 6 • 도로의 남쪽에 있는 과수원은 ㉣, ㉢ 과수원이
므로 사과 생산량의 합은 460＋370＝830(상자)
입니다.
• 철로의 서쪽에 있는 과수원은 ㉠, ㉡, ㉣ 과수
원이므로 180＋㉡＋460＝830입니다.
따라서 ㉡ 과수원의 사과 생산량은
830－180－460＝190(상자)입니다.

상위권 문제　확인과 응용　108~111쪽

1 50그릇

2 8, 10, 6 /

학생들이 좋아하는 계절

계절	봄	여름	가을	겨울
학생 수	◎◯◯◯	◎◯◯	◎◯	◎◎◯◯

◎ 5명
◯ 1명

3 풀이 참조, 1550자루

4 별빛 마을, 은빛 마을, 달빛 마을, 금빛 마을

5 1710원　　　　**6** 96회

7 훌라후프 횟수

이름	훌라후프 횟수
영서	◎◎△○○○
승재	◎△○○
태호	◎△○
정은	◎◎◎△

8 210, 70, 671 **9** 윤정, 7권

10 풀이 참조, 31명 **11** 39개

12 7점

---

1 • 가장 많이 팔린 음식: 짬뽕(34그릇)
　• 가장 적게 팔린 음식: 탕수육(16그릇)
　⇨ 34＋16＝50(그릇)

2 그림그래프를 보면 봄을 좋아하는 학생은 8명, 가을을 좋아하는 학생은 6명이므로 여름을 좋아하는 학생은 36－8－6－12＝10(명)입니다.

3 ⑳ 성호네 학교 3학년 전체 학생은
　22＋16＋24＝62(명)입니다.❶
　따라서 필요한 연필은 모두 25×62＝1550(자루)입니다.❷

채점 기준
❶ 성호네 학교 3학년 전체 학생 수 구하기
❷ 필요한 연필은 모두 몇 자루인지 구하기

4 • 은빛 마을: 320상자
　• 별빛 마을: 410상자
　• 달빛 마을: 250상자
　⇨ (금빛 마을의 감 생산량)
　　＝1200－320－410－250＝220(상자)
　따라서 410개＞320개＞250개＞220개이므로 감 생산량이 많은 마을부터 순서대로 쓰면 별빛 마을, 은빛 마을, 달빛 마을, 금빛 마을입니다.

5 • 가장 많이 팔린 날: 8일(42개)
　⇨ (구슬 값)＝90×42＝3780(원)
　• 가장 적게 팔린 날: 6일(23개)
　⇨ (구슬 값)＝90×23＝2070(원)
　따라서 가장 많이 팔린 날과 가장 적게 팔린 날의 구슬 값의 차는 3780－2070＝1710(원)입니다.

6 왼쪽 그림그래프에서 ◎ 2개와 ○ 8개가 28회를 나타내므로 ◎은 10회, ○은 1회를 나타냅니다.
　⇨ (네 사람이 한 훌라후프 횟수의 합)
　　＝28＋17＋16＋35＝96(회)

7 ◎ 2개, △ 1개, ○ 3개가 28회를 나타내므로 ◎은 10회, △은 5회, ○은 1회를 나타냅니다.
　• 승재: 17회 ⇨ ◎ 1개, △ 1개, ○ 2개
　• 태호: 16회 ⇨ ◎ 1개, △ 1개, ○ 1개
　• 정은: 35회 ⇨ ◎ 3개, △ 1개

8 • 지리산을 등산하고 싶은 학생 수:
　156×2＝312, 312－102＝210(명)
　• 덕유산을 등산하고 싶은 학생 수:
　210의 $\frac{1}{3}$은 70이므로 70명입니다.

9 • 윤정이가 읽은 책의 수의 차: 21－14＝7(권)
　• 미화가 읽은 책의 수의 차: 30－24＝6(권)
　• 도윤이가 읽은 책의 수의 차: 16－12＝4(권)
　따라서 읽은 책의 수가 가장 많이 늘어난 사람은 윤정이고, 7권 늘어났습니다.

10 ⑳ 파란색을 좋아하는 학생은 34명입니다. 노란색을 좋아하는 학생 수를 □명이라 하면 빨간색을 좋아하는 학생 수는 (□－9)명, 초록색을 좋아하는 학생 수는 (□＋9)명이므로
　34＋(□－9)＋□＋(□＋9)＝100입니다.❶
　⇨ 34＋□＋□＋□＝100,
　　□＋□＋□＝66, □＝22
　따라서 초록색을 좋아하는 학생은 22＋9＝31(명)입니다.❷

채점 기준
❶ 문제에 알맞은 식 만들기
❷ 초록색을 좋아하는 학생 수 구하기

11 일본이 획득한 메달 수를 □개라 하면 노르웨이가 획득한 메달 수는 (□×3)개이므로
　(□＋□＋□)＋23＋17＋□＝92입니다.
　⇨ □＋□＋□＋□＋40＝92,
　　□＋□＋□＋□＝52, □＝13
　따라서 노르웨이가 획득한 메달은 13×3＝39(개)입니다.

12 점수가 가장 낮은 학생은 넣은 막대의 수가 가장 적은 혜원입니다.
⇨ 혜원이가 넣은 막대는 3개이므로 넣지 못한 막대는 $10-3=7$(개)입니다.
따라서 혜원이가 얻은 점수는 $7 \times 3 = 21$(점), 잃은 점수는 $2 \times 7 = 14$(점)이므로 혜원이의 점수는 $21-14=7$(점)입니다.

최상위권 문제	112~113쪽

1 ㉡, ㉣ **2** 98줄
3 1260개 **4** 경선, 성호, 지수
5

신문별 구독 부수

신문	구독 부수
가	◎◎◎◎
나	◎◎◎◎○○
다	◎◎○○○○
라	◎○○○○○○○

◎ 100부
○ 10부

6 92명

---

1 비법 PLUS+ 안경을 쓴 학생이 모두 31명임을 이용하여 표의 빈칸을 채운 후 표를 보고 알 수 있는 내용을 찾습니다.

• 3반의 안경을 쓴 남학생 수:
$16-3-5-6=2$(명)
• 안경을 쓴 여학생 수: $31-16=15$(명)
• 1반의 안경을 쓴 여학생 수:
$15-2-6-3=4$(명)
• (1반의 안경을 쓴 학생 수)$=3+4=7$(명),
(2반의 안경을 쓴 학생 수)$=5+2=7$(명),
(3반의 안경을 쓴 학생 수)$=2+6=8$(명),
(4반의 안경을 쓴 학생 수)$=6+3=9$(명)

2 비법 PLUS+ 하루 동안 팔린 김밥의 수가 가장 많으려면 소고기 김밥의 수가 가장 커야 합니다.

가장 적게 팔린 김밥이 참치 김밥(17줄)일 때 하루 동안 팔린 김밥의 수가 가장 많습니다.
⇨ 소고기 김밥: $17+18=35$(줄)
따라서 하루 동안 팔린 김밥은 모두
$24+17+22+35=98$(줄)입니다.

3 비법 PLUS+ 큰 그림과 작은 그림이 나타내는 수를 각각 구하지 않고 네 가게에서 판매한 아이스크림 수의 합이 라 가게에서 판매한 아이스크림 수의 몇 배인지를 이용합니다.

라 가게에서 판매한 아이스크림은 큰 그림이 1개, 작은 그림이 2개이고, 네 가게에서 판매한 아이스크림은 큰 그림이 7개, 작은 그림이 14개이므로 네 가게에서 판매한 아이스크림은 라 가게에서 판매한 아이스크림의 7배입니다.
따라서 네 가게에서 판매한 아이스크림은 모두
$180 \times 7 = 1260$(개)입니다.

4 • 지수가 딴 귤의 수: 23개
• 성호가 딴 귤의 수: 19개
• 경선이가 딴 귤의 수는 $23+19=42$(개)의 $\dfrac{3}{7}$이므로 18개입니다.
따라서 18개<19개<23개이므로 귤을 적게 딴 사람부터 순서대로 쓰면 경선, 성호, 지수입니다.

5 비법 PLUS+ 라 신문의 구독 부수를 □부라 하면 가 신문의 구독 부수는 $(240+□)$부임을 이용합니다.

라 신문의 구독 부수를 □부라 하면 가 신문의 구독 부수는 $(240+□)$부이므로
$(240+□)+320+240+□=1120$입니다.
⇨ $□+□+800=1120$, $□+□=320$,
$□=160$
따라서 라 신문의 구독 부수는 160부,
가 신문의 구독 부수는 $240+160=400$(부)입니다.

6 비법 PLUS+ 별빛 마을에 사는 학생 수를 □명이라 하면 초록 마을에 사는 학생 수는 $(□\times 2)$명임을 이용합니다.

별빛 마을에 사는 학생 수를 □명이라 하면 초록 마을에 사는 학생 수는 $(□\times 2)$명이므로
$25+33+41+□+(□+□)=150$입니다.
⇨ $99+□+□+□=150$, $□+□+□=51$,
$□=17$이므로 별빛 마을에 사는 학생은 17명, 초록 마을에 사는 학생은 $17 \times 2 = 34$(명)입니다.
따라서 강을 건너지 않고 학교에 갈 수 있는 마을은 행복 마을(25명), 초록 마을(34명), 미래 마을(33명)이므로 모두 $25+34+33=92$(명)입니다.

① 곱셈

1 540원	**2** 3650
3 1, 2, 3, 4	**4** 6 / 2 / 9 / 3
5 848 cm	**6** $9 \times 64 = 576$
7 851	**8** 630 m

1 • (초콜릿 4개의 값)$=470 \times 4 = 1880$(원)

• (음료수 3개의 값)$=860 \times 3 = 2580$(원)

• (현아가 산 물건의 값의 합)

$= 1880 + 2580 = 4460$(원)

⇨ (현아가 받아야 할 거스름돈)

$= 5000 - 4460 = 540$(원)

2 어떤 수를 □라 하면 □$-50 = 23$, $23 + 50 =$□,
□$= 73$입니다.

따라서 바르게 계산하면 $73 \times 50 = 3650$입니다.

3 $7 \times 64 = 448$

$\boxed{1} \times 92 = 92 < 448$, $\boxed{2} \times 92 = 184 < 448$,

$\boxed{3} \times 92 = 276 < 448$, $\boxed{4} \times 92 = 368 < 448$,

$\boxed{5} \times 92 = 460 > 448$

따라서 □ 안에 들어갈 수 있는 수는 1, 2, 3, 4입니다.

4 • ㉠$\times 9$의 일의 자리가 4이려면 ㉠$= 6$입니다.

• ㉡$= 2$일 경우 $46 \times 20 = 920$이므로 ㉢$= 9$입니다.

• ㉡$= 7$일 경우 $46 \times 70 = 3220$이므로 곱셈식이 성립하지 않습니다.

• $414 + 920 = 1334$이므로 ㉣$= 3$입니다.

5 (종이띠 20장의 길이의 합)$= 50 \times 20 = 1000$(cm)
겹쳐진 부분은 $20 - 1 = 19$(군데)이므로 겹쳐진 부분의 길이의 합은 $8 \times 19 = 152$(cm)입니다.

⇨ (이어 붙인 종이띠의 전체 길이)

$= 1000 - 152 = 848$(cm)

6 곱이 가장 큰 곱셈식을 만들려면 가장 큰 수를 한 자리 수에 놓고, 나머지 수로 가장 큰 두 자리 수를 만듭니다.

따라서 $9 > 6 > 4$이므로 곱이 가장 큰 곱셈식을 만들고 계산하면 $9 \times 64 = 576$입니다.

7 ㉰$= 143 \times 7 = 1001$, ㉱$= 143 + 7 = 150$

⇨ $143 \blacktriangledown 7 = 1001 - 150 = 851$

8 $43 + 43 = 86$이므로 산책로의 한쪽에 심을 나무는 43그루입니다.

산책로의 처음부터 끝까지 나무를 심으므로 나무 사이의 간격은 $43 - 1 = 42$(군데)입니다.

⇨ (산책로의 길이)$= 15 \times 42 = 630$(m)

1 840개	**2** 2540
3 1800개	**4** 693
5 137장	**6** 5
7 4741	**8** 1305
9 432개	**10** 2920번

11 예   83   95   / 7885

보수 ↓   ⊖   ↓ 보수

17   5

12 3193일

1 오토바이는 바퀴가 2개인 이동 수단이므로 오토바이의 바퀴는 $174 \times 2 = 348$(개)입니다.

승용차와 버스는 바퀴가 4개인 이동 수단이고
$85 + 38 = 123$(대)이므로 승용차와 버스의 바퀴는
$123 \times 4 = 492$(개)입니다.

따라서 주차장에 있는 이동 수단의 바퀴는 모두
$348 + 492 = 840$(개)입니다.

2 • $3 \blacklozenge 18$: $3 \times 18 = 54$, $54 - 3 = 51$

• $25 \blacklozenge 40$: $25 \times 40 = 1000$, $1000 - 25 = 975$

• $72 \blacklozenge 36$: $72 \times 36 = 2592$, $2592 - 72 = 2520$

◆은 앞의 수와 뒤의 수의 곱에서 앞의 수를 빼는 규칙입니다.

따라서 $508 \blacklozenge 6$의 값을 구하면
$508 \times 6 = 3048$, $3048 - 508 = 2540$입니다.

3 1시간은 60분이므로 20분에 25개씩 만두를 만들면 1시간 동안 $25 \times 3 = 75$(개)의 만두를 만들 수 있습니다.

따라서 하루는 24시간이므로 하루 동안 만들 수 있는 만두는 $75 \times 24 = 1800$(개)입니다.

4 어떤 수를 □라 하면 $348+□=351$,
$351-348=□$, $□=3$입니다.
바르게 계산하면 $348×3=1044$입니다.
$⇨ 1044-351=693$

5 16장씩 40명에게 나누어 줄 때 필요한 색종이는
$16×40=640$(장)이므로 전체 색종이는
$640+23=663$(장)입니다.
따라서 20장씩 40명에게 나누어 주려면 필요한 색종이는 $20×40=800$(장)이므로 더 준비해야 하는 색종이는 적어도 $800-663=137$(장)입니다.

6 · $\boxed{1}×38=38<185$, $\boxed{2}×38=76<185$,
$\boxed{3}×38=114<185$, $\boxed{4}×38=152<185$,
$\boxed{5}×38=190>185$이므로
□ 안에 들어갈 수 있는 수는 5, 6, 7, 8, 9입니다.
· $26×90=2340$
$2340>416×\boxed{1}=416$,
$2340>416×\boxed{2}=832$,
$2340>416×\boxed{3}=1248$,
$2340>416×\boxed{4}=1664$,
$2340>416×\boxed{5}=2080$,
$2340<416×\boxed{6}=2496$이므로
□ 안에 들어갈 수 있는 한 자리 수는 1, 2, 3, 4, 5입니다.
따라서 □ 안에 공통으로 들어갈 수 있는 수는 5입니다.

7 · $7>5>3>2$이므로 곱이 가장 크려면 두 수의 십의 자리에 7과 5가 와야 합니다.
$\boxed{7}3×\boxed{5}2=3796$, $\boxed{7}2×\boxed{5}3=3816$이므로 가장 큰 곱은 3816입니다.
· $2<3<5<7$이므로 곱이 가장 작으려면 두 수의 십의 자리에 2와 3이 와야 합니다.
$\boxed{2}5×\boxed{3}7=925$, $\boxed{2}7×\boxed{3}5=945$이므로 가장 작은 곱은 925입니다.
$⇨ 3816+925=4741$

8 두 수의 차가 16이므로 두 수 중 작은 수를 □라 하면 큰 수는 □＋16입니다.
두 수의 합이 74이므로 $□+(□+16)=74$이고
$□+□=58$, $29+29=58$이므로 $□=29$입니다.
따라서 작은 수가 29, 큰 수가 $29+16=45$이므로 두 수의 곱은 $29×45=1305$입니다.

9 한 변에 145개씩 점을 찍을 때 세 변에 있는 점은
$145×3=435$(개)이고 삼각형의 세 꼭짓점에서 점이 각각 겹치므로 겹친 점을 빼면 점을 모두
$435-3=432$(개) 찍어야 합니다.

10 작은 톱니바퀴가 돌아가는 횟수는 큰 톱니바퀴의 5배입니다. 큰 톱니바퀴가 1분에 8번 돌면 작은 톱니바퀴는 1분에 $8×5=40$(번) 돕니다.
1시간 13분은 73분이므로 작은 톱니바퀴가 73분 동안 도는 횟수는 $73×40=2920$(번)입니다.
다른 풀이 1시간 13분=73분
(큰 톱니바퀴가 73분 동안 도는 횟수)=$8×73=584$(번)
$⇨$ (작은 톱니바퀴가 73분 동안 도는 횟수)
$=584×5=2920$(번)

11 · 꽈배기로 계산한 값: $95-17=78$, $83-5=78$
· 보수끼리의 곱: $17×5=85$
$⇨ 83×95=7885$

12 2003년 3월 20일부터 2011년 3월 19일까지의 기간은 $365×8=2920$, $2920+2=2922$로 2922일이고 2011년 3월 20일부터 2011년 12월 15일까지의 기간은
$12+30+31+30+31+31+30+31+30+15$
$=271$(일)입니다.
따라서 이라크 전쟁이 시작되어 끝날 때까지의 기간은 $2922+271=3193$(일)입니다.

1 48쪽, 49쪽		**2** 3 cm	
3 2034		**4** 161분	
5 3268 m		**6** 823	

1

> 비법 PLUS+ 펼쳐진 두 쪽수는 연속된 두 수이고 연속된 두 수의 곱이 2352이므로 먼저 두 쪽수의 십의 자리 숫자를 예상하여 알아봅니다.

$40 \times 40 = 1600$, $50 \times 50 = 2500$이므로
곱이 2352인 두 수는 40과 50 사이에 있는 수입니다.

왼쪽 수	42	44	46	48
오른쪽 수	43	45	47	49
두 수의 곱	1806	1980	2162	2352

따라서 $48 \times 49 = 2352$이므로 펼쳐진 두 쪽수는 48쪽, 49쪽입니다.

2

> 비법 PLUS+ 겹쳐진 부분의 길이의 합과 겹쳐진 부분의 수를 구하여 겹쳐진 한 부분의 길이를 구합니다.

- (겹쳐진 부분의 수)$= 27 - 1 = 26$(군데)
- (종이띠 27장의 길이의 합)$= 16 \times 27 = 432$(cm)
- (겹쳐진 부분의 길이의 합)$= 432 - 354 = 78$(cm)
따라서 겹쳐진 한 부분의 길이를 $\square$ cm라 하면
$\square \times 26 = 78$이고 $3 \times 26 = 78$이므로 $\square = 3$입니다.

3

> 비법 PLUS+ (세 자리 수)$\times$(한 자리 수)와
> (두 자리 수)$\times$(두 자리 수)에서 곱이 가장 클 때와 곱이 가장 작을 때를 각각 구하고 수의 크기를 비교합니다.

(세 자리 수)$\times$(한 자리 수)에서
곱이 가장 클 때는 $543 \times 6 = 3258$,
곱이 가장 작을 때는 $456 \times 3 = 1368$입니다.
(두 자리 수)$\times$(두 자리 수)에서
곱이 가장 클 때는 $63 \times 54 = 3402$,
곱이 가장 작을 때는 $35 \times 46 = 1610$입니다.
따라서 $3402 > 3258 > 1610 > 1368$이므로 곱이 가장 클 때와 가장 작을 때의 차는
$3402 - 1368 = 2034$입니다.

4

> 비법 PLUS+
> - (자르는 횟수)$=$(도막 수)-1
> - (쉬는 횟수)$=$(자르는 횟수)-1

- (자르는 횟수)$= 16 - 1 = 15$(번)
- (나무를 자르는 데 걸리는 시간의 합)
  $= 7 \times 15 = 105$(분)
- (쉬는 횟수)$= 15 - 1 = 14$(번)
- (쉬는 시간의 합)$= 4 \times 14 = 56$(분)
⇨ (나무를 모두 자르는 데 걸리는 시간)
  $=$ (나무를 자르는 데 걸리는 시간의 합)
    $+$ (쉬는 시간의 합)
  $= 105 + 56 = 161$(분)

참고 마지막으로 나무를 자른 다음에는 쉬는 시간이 없으므로 (쉬는 횟수)$=$(자르는 횟수)라고 생각하지 않도록 주의합니다.

5

> 비법 PLUS+ 열차가 터널을 완전히 통과할 때까지 간 거리는 터널의 길이와 열차의 길이의 합과 같습니다.

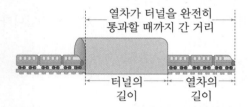

열차가 터널을 완전히 통과할 때까지 간 거리는
$847 \times 4 = 3388$(m)입니다.
따라서 터널의 길이를 $\square$ m라 하면
$\square + 120 = 3388$, $3388 - 120 = \square$, $\square = 3268$입니다.

6

> 비법 PLUS+ 먼저 9를 곱했을 때 곱이 25547이 되는 바꾼 세 자리 수를 구합니다.

백의 자리 숫자와 십의 자리 숫자를 바꾼 세 자리 수를 ㉠㉡㉢이라 하면 ㉠㉡㉢ $\times 9 = 2547$에서
㉢ $\times 9$의 일의 자리는 7입니다. ⇨ ㉢ $= 3$
㉡ $\times 9$에 2를 더한 수가 $\square 4$이므로 ㉡ $\times 9$의 일의 자리는 2입니다. ⇨ ㉡ $= 8$
㉠ $\times 9$에 7을 더한 수가 25이므로 ㉠ $\times 9 = 18$입니다. ⇨ ㉠ $= 2$
따라서 ㉠㉡㉢이 283이므로 처음 세 자리 수는 823입니다.

❷ 나눗셈

1 84, 91, 98	**2** 16, 1
3 (위에서부터) 6 / 4, 6 / 2 / 4	
4 79개	**5** 32
6 5개	

1 $81 \div 7 = 11 \cdots 4$, $82 \div 7 = 11 \cdots 5$,
$83 \div 7 = 11 \cdots 6$, $84 \div 7 = 12$이므로 80보다 크고
100보다 작은 자연수 중에서 7로 나누어떨어지는
가장 작은 수는 84입니다.
84가 7로 나누어떨어지므로 $84 + 7 = 91$,
$91 + 7 = 98$도 7로 나누어떨어집니다.
따라서 80보다 크고 100보다 작은 자연수 중에서
7로 나누어떨어지는 수는 84, 91, 98입니다.
참고 ■를 ▲로 나누었을 때 나누어떨어지면
■＋▲, ■＋▲＋▲……도 ▲로 나누어떨어집니다.

2 어떤 수를 □라 하면 $□ \div 6 = 13 \cdots 3$입니다.
$6 \times 13 = 78$ ⇨ $78 + 3 = 81$이므로 □=81입니다.
따라서 바르게 계산하면 $81 \div 5 = 16 \cdots 1$이므로 몫
은 16, 나머지는 1입니다.

3

⊙×1=4이므로 ⊙=4입니다.
5−⑩=1이므로 ⑩=4입니다.
㉣−2=0이므로 ㉣=2입니다.
㉢−4=2이므로 ㉢=6입니다.
$4 × ㉡ = 24$이므로 ㉡=6입니다.

4 $234 \div 3 = 78$이므로 가로등과 가로등 사이의 간격
은 모두 78군데입니다.
따라서 필요한 가로등은 모두 $78 + 1 = 79$(개)입니다.

참고
(도로의 한쪽에 필요한 가로등의 수)=(간격 수)+1

5 수 카드로 가장 큰 몇십몇과 가장 작은 몇을 만들어
야 합니다.
수 카드로 만들 수 있는 가장 큰 몇십몇은 64이고,
가장 작은 몇은 2입니다.
⇨ $64 \div 2 = 32$

6 (전체 초콜릿의 수)÷(상자의 수)
  $= 175 \div 6 = 29 \cdots 1$이므로
초콜릿 175개를 상자 6개에 29개씩 나누어 담으면
1개가 남습니다.
⇨ (더 만들어야 하는 초콜릿의 수)
  =(상자의 수)−(남은 초콜릿의 수)
  $= 6 - 1 = 5$(개)

1 2, 6	**2** 17번
3 11개	**4** 89
5 5, 6, 1	**6** 20일
7 82장	**8** 11 cm
9 ★	**10** 25번
11 9번	**12** 30작은술

1

왼쪽 계산에서 나눗셈식이 나누어떨어지
려면 $4 × ▲ = 3□$이어야 하고, 4의 단
곱셈구구에서 곱의 십의 자리 수가 3인
경우는 $4 × 8 = 32$, $4 × 9 = 36$입니다.
따라서 □ 안에 들어갈 수 있는 수는 2,
6입니다.

2 (전체 바둑돌의 수)$= 45 + 85 = 130$(개)
$130 \div 8 = 16 \cdots 2$에서 바둑돌을 8개씩 16번 꺼내면
2개가 남으므로 1번 더 꺼내야 합니다.
따라서 바둑돌을 모두 꺼내려면 적어도
$16 + 1 = 17$(번) 꺼내야 합니다.

3 (만든 정사각형 한 개의 네 변의 길이의 합)
  $= 2 × 4 = 8$(cm)
따라서 $91 \div 8 = 11 \cdots 3$이므로 만든 정사각형은 모
두 11개입니다.

4 나머지는 나누는 수보다 작아야 하므로 ★은 5보다
작은 수이고 □가 가장 큰 자연수이려면 ★은 5보다
작은 수 중 가장 큰 수인 4이어야 합니다.
★=4일 때 $5 × 17 = 85$ ⇨ $85 + 4 = 89$이므로 □
안에 들어갈 수 있는 자연수 중에서 가장 큰 수는 89
입니다.

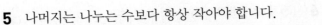
5 나머지는 나누는 수보다 항상 작아야 합니다.
- ⓒ=1일 때, ⓒ이 될 수 있는 수는 없습니다.
- ⓒ=5일 때, ⓒ=1, ⓒ=6이므로
  나눗셈식은 86÷5=14…1이 됩니다.
  ⇨ 86÷5=17…1(×)
- ⓒ=6일 때, ⓒ=1, ⓒ=5 또는 ⓒ=5, ⓒ=1
  입니다.
  ⓒ=6, ⓒ=1, ⓒ=5일 때,
  나눗셈식은 85÷6=14…1이 됩니다.
  ⇨ 85÷6=14…1(○)
  ⓒ=6, ⓒ=5, ⓒ=1일 때,
  나눗셈식은 81÷6=14…5가 됩니다.
  ⇨ 81÷6=13…3(×)
  따라서 ⓒ=5, ⓒ=6, ⓒ=1입니다.

6 한 명이 하루에 하는 일의 양을 1이라 하면 8명이
15일 동안 한 일의 양은 8×15=120입니다.
전체 일의 반을 했으므로 남은 일의 양도 120이고
이 일을 6명이 하면 120÷6=20(일)이 걸립니다.

7 70보다 크고 90보다 작은 자연수 중에서 6으로 나
누었을 때 나머지가 4인 수는 76, 82, 88이고, 이 중
에서 7로 나누었을 때 나머지가 5인 수는 82입니다. 따
라서 승재가 가지고 있는 색종이는 모두 82장입니다.

8 겹쳐진 부분은 8군데이므로 겹쳐진 부분의 길이의
합은 2×8=16(cm)입니다.
(이어 붙인 색 테이프의 전체 길이)
=(색 테이프 9장의 길이의 합)
　－(겹쳐진 부분의 길이의 합)
⇨ (색 테이프 9장의 길이의 합)
=(이어 붙인 색 테이프의 전체 길이)
　＋(겹쳐진 부분의 길이의 합)
=83+16=99(cm)
따라서 색 테이프 한 장의 길이는 99÷9=11(cm)
입니다.

9 7개의 도형 ■▲★▲●●■가 반복되어 놓이는 규
칙입니다.
157÷7=22…3이므로 157번째에 놓이는 도형은
■▲★▲●●■가 22번 반복되어 놓인 후 세 번째
에 놓이는 ★입니다.

10 •4시 1분~4시 59분:
　1부터 59까지의 수 중에서 4로 나누어떨어지는 수
　는 4, 8, 12, 16, 20, 24, 28, 32, 36, 40, 44,
　48, 52, 56으로 14개입니다.
- •5시 1분~5시 59분:
　1부터 59까지의 수 중에서 5로 나누어떨어지는 수
　는 5, 10, 15, 20, 25, 30, 35, 40, 45, 50, 55로
　11개입니다.
⇨ 14+11=25(번)

11 공을 빨간색 선 안에서 던져 성공시키면 2점, 빨간
색 선 밖에서 던져 성공시키면 3점을 얻으므로 54점
을 얻기 위해 공을 빨간색 선 안에서 던질 때는
54÷2=27(번), 빨간색 선 밖에서 던질 때는
54÷3=18(번) 성공시켜야 합니다.
따라서 27-18=9(번) 더 성공시켜야 합니다.

12 밀가루를 3컵 사용할 때 넣는 이스트의 양은 3~4작
은술이고 매번 최소 양을 넣었으므로 식빵 한 개를
만들 때 3작은술씩 넣었습니다.
따라서 3작은술씩 9번 넣었더니 3작은술이 남았으
므로 처음에 있던 이스트의 양을 □작은술이라 하면
□÷3=9…3입니다.
3×9=27 ⇨ 27+3=30이므로 처음에 있던 이스
트는 30작은술입니다.

복습	최상위권 문제	16~17쪽
1 63		**2** 2시간 45분
3 26개		**4** 5시간 후
5 9 cm		**6** 192개

1 •9로 나누었을 때 나누어떨어지는 두 자리 수: 18,
　27, 36, 45, 54, 63, 72, 81, 90, 99
- •9로 나누었을 때 나누어떨어지는 두 자리 수 중에
　서 4로 나누었을 때 나머지가 3인 수: 27, 63, 99
　⇨ 27, 63, 99 중에서 일의 자리 수가 십의 자리 수
　보다 작은 수: 63

2

비법 PLUS＋
• (자른 횟수)＝(토막 수)－1
• (쉬는 횟수)＝(자른 횟수)－1

• 1시간 5분＝65분이고 6토막으로 자르려면
6－1＝5(번) 잘라야 하므로 통나무를 한 번 자르는
데 걸리는 시간은 65÷5＝13(분)입니다.
• 10토막으로 자르려면 10－1＝9(번) 자르고,
9－1＝8(번) 쉬어야 합니다.
⇨ (통나무를 9번 자르는 데 걸리는 시간)
＝13×9＝117(분),
(쉬는 시간)＝6×8＝48(분)
따라서 통나무를 10토막으로 자르는 데 걸리는 시간
은 모두 117＋48＝165(분) ⇨ 2시간 45분입니다.

3

비법 PLUS＋ 6으로 나누면 나머지가 4가 되는 가장 작
은 두 자리 수와 8로 나누면 나머지가 7이 되는 가장 작
은 두 자리 수를 먼저 구합니다.

6으로 나누면 나머지가 4가 되는 가장 작은 두 자리
수는 6×1＝6 ⇨ 6＋4＝10입니다.
6으로 나누면 나머지가 4가 되는 두 자리 수: 10,
16, 22, 28, 34, 40, 46, 52, 58, 64, 70, 76, 82,
88, 94 → 15개
8로 나누면 나머지가 7이 되는 가장 작은 두 자리 수
는 8×1＝8 ⇨ 8＋7＝15입니다.
8로 나누면 나머지가 7이 되는 두 자리 수: 15, 23,
31, 39, 47, 55, 63, 71, 79, 87, 95 → 11개
⇨ 15＋11＝26(개)

4

비법 PLUS＋ 승용차는 트럭보다 10분에 몇 km씩 더
가는지 구하여 몇 분만에 90 km를 더 가게 되는지 구합
니다.

승용차는 트럭보다 10분에 15－12＝3(km)씩 더
갑니다.
승용차가 90 km 앞에 있는 트럭을 만나는 것은 승
용차가 출발한 지 90÷3＝30에서
30×10＝300(분) 후입니다.
⇨ 300분＝60분＋60분＋60분＋60분＋60분
＝5시간

5

비법 PLUS＋ 첫 번째 삼각형의 한 변의 길이를 구한 다
음 두 번째, 세 번째, 네 번째에서 가장 작은 삼각형의 한
변의 길이를 구하여 규칙을 찾습니다.

첫 번째 삼각형의 한 변은 72÷3＝24(cm)입니다.
(두 번째에서 가장 작은 삼각형의 한 변)
＝24÷2＝12(cm),
(세 번째에서 가장 작은 삼각형의 한 변)
＝24÷3＝8(cm),
(네 번째에서 가장 작은 삼각형의 한 변)
＝24÷4＝6(cm)……이므로
(8번째에서 가장 작은 삼각형의 한 변)
＝24÷8＝3(cm)입니다.
따라서 8번째에 만든 가장 작은 삼각형 한 개의 세
변의 길이의 합은 3×3＝9(cm)입니다.

6

정사각형의 한 변에 꽂는 파란색 깃발 사이의 간격은
64÷4＝16(군데)이고 정사각형의 네 꼭짓점에 모두
파란색 깃발을 꽂으므로 정사각형 한 변에 꽂는 파란
색 깃발은 16＋1＝17(개)입니다.
정사각형의 네 변에 꽂는 파란색 깃발의 수는
17×4＝68에서 네 꼭짓점에 한 개씩 겹치는 것을
빼야 하므로 68－4＝64(개)입니다.
정사각형의 한 변에 꽂는 흰색 깃발의 수는 파란색
깃발 사이의 간격 수의 2배이므로 16×2＝32(개)
이고 정사각형의 네 변에 꽂는 흰색 깃발은
32×4＝128(개)입니다.
따라서 파란색 깃발과 흰색 깃발은 모두
64＋128＝192(개) 꽂을 수 있습니다.

3 원

복습 상위권 문제　　　　　18~19쪽

1 3개	**2** 42 cm
3 27 cm	**4** 7 cm
5 36 cm	**6** 9 cm

3 (원의 반지름)=18÷2=9(cm)
　(변 ㄱㄴ)=(변 ㄴㄷ)=(변 ㄷㄱ)
　　　　　=(원의 반지름)=9 cm
　⇨ (삼각형 ㄱㄴㄷ의 세 변의 길이의 합)
　　　=(변 ㄱㄴ)+(변 ㄴㄷ)+(변 ㄷㄱ)
　　　=9+9+9=27(cm)

4 큰 원의 지름은 작은 원의 반지름의 6배입니다.
　⇨ (작은 원의 반지름)=(큰 원의 지름)÷6
　　　　　　　　　　　=42÷6=7(cm)

　다른 풀이 ▶ 큰 원의 지름은 작은 원의 지름의 3배입니다.
　(작은 원의 지름)=(큰 원의 지름)÷3=42÷3=14(cm)
　⇨ (작은 원의 반지름)=14÷2=7(cm)

5 가장 작은 원의 반지름이 6 cm이고 두 번째로 작은
　원의 반지름이 9 cm이므로 반지름은
　9-6=3(cm)씩 늘어나는 규칙이 있습니다.
　따라서 가장 작은 원의 반지름이 6 cm이므로 5번째
　원의 반지름은 6+3+3+3+3=18(cm)이고
　5번째 원의 지름은 18×2=36(cm)입니다.

6 상자의 가로는 접시의 지름의 3배이고, 세로는 접시
　의 지름의 2배이므로 상자의 네 변의 길이의 합은 접
　시의 지름의 3+2+3+2=10(배)입니다.
　⇨ (상자의 네 변의 길이의 합)
　　　=(접시의 지름)×10=90(cm)에서
　　　9×10=90이므로 접시의 지름은 9 cm입니다.

복습 상위권 문제　확인과 응용　　20~23쪽

1 6 cm	**2** 16 cm
3 12 cm	**4** 9 cm
5 56 cm	**6** 60 cm
7 47 cm	**8** 6 cm
9 108 cm	**10** 10 cm
11 366 cm	**12** 28개

1 (중간 크기의 원의 반지름)
　=(가장 큰 원의 반지름)÷2
　=24÷2=12(cm)
　⇨ (가장 작은 원의 반지름)
　　　=(중간 크기의 원의 반지름)÷2
　　　=12÷2=6(cm)

2 변 ㅇㄱ과 변 ㅇㄴ은 원의 반지름으로 길이가 같습니다.
　원의 반지름을 □ cm라 하면
　□+13+□=29, □+□=16, □=8입니다.
　따라서 원의 지름은 8×2=16(cm)입니다.

3 (큰 원의 반지름)=32÷2=16(cm)
　큰 원의 지름은 작은 원의 반지름의 8배입니다.
　(작은 원의 반지름)=(큰 원의 지름)÷8
　　　　　　　　　　=32÷8=4(cm)
　따라서 큰 원의 반지름과 작은 원의 반지름의 차는
　16-4=12(cm)입니다.

4 (가 원의 반지름)=54÷2=27(cm)
　⇨ (나 원의 반지름)=27÷3=9(cm)

　다른 풀이 ▶ 나 원의 반지름을 □ cm라 하면 가 원의 반지름은
　(□×3) cm이고, 지름은 (□×6) cm입니다. 따라서 가 원
　의 지름이 54 cm이므로 □×6=54, □=9입니다.

5 (변 ㄱㄴ)=7+9=16(cm)
　(변 ㄴㄷ)=9+12=21(cm)
　(변 ㄷㄱ)=12+7=19(cm)
　⇨ (삼각형 ㄱㄴㄷ의 세 변의 길이의 합)
　　　=16+21+19=56(cm)

6 직사각형의 가로는 원의 반지름의 5배이므로 원의
　반지름은 25÷5=5(cm)입니다.
　색칠한 사각형의 네 변은 모두 원의 반지름과 길이
　가 같습니다.
　⇨ (색칠한 사각형 3개의 모든 변의 길이의 합)
　　　=5×12=60(cm)

7 큰 원의 지름은 직사각형의 세로와 같으므로 18 cm
　이고, 큰 원의 반지름은 18÷2=9(cm)입니다.
　작은 원의 지름을 □ cm라 하면
　18+□+□+18+□=60,
　□+□+□=24, □=8입니다.
　따라서 작은 원의 반지름은 8÷2=4(cm)이므로
　선분 ㄱㄴ은 60-9-4=47(cm)입니다.

8 큰 원의 지름이 $15 \times 2 = 30$(cm)이므로
(작은 원 3개의 지름의 합) $-3-3=30$(cm)입니다.
(작은 원 3개의 지름의 합) $=30+3+3=36$(cm)
이므로 작은 원의 지름은 $36 \div 3 = 12$(cm)입니다.
따라서 작은 원의 반지름은 $12 \div 2 = 6$(cm)입니다.

9 원의 반지름을 □ cm라 하면
□$+$□$=48+12$, □$+$□$=60$, □$=30$입니다.
따라서 변 ㄱㄴ과 변 ㄱㄷ은 원의 반지름과 길이가
같으므로 삼각형 ㄱㄴㄷ의 세 변의 길이의 합은
$30+48+30=108$(cm)입니다.

10 선분 ㄱㅁ의 길이는 5 cm의 2배인 10 cm보다
2 cm 더 길므로 12 cm입니다.
(선분 ㄱㄹ)$=12+5=17$(cm)
(선분 ㄹㅇ)$=$(선분 ㄹㅁ)$=5$ cm
(선분 ㄷㅅ)$=$(선분 ㄷㅇ)$=12-5=7$(cm)
⇨ (선분 ㄴㅅ)$=$(선분 ㄴㄷ)$-$(선분 ㄷㅅ)
　　　　　$=17-7=10$(cm)
따라서 점 ㄴ을 원의 중심으로 하는 원의 반지름은
선분 ㄴㅅ의 길이와 같으므로 10 cm입니다.

11 가장 큰 원의 반지름은 티 다음으로 작은 원의 반지
름보다 $61 \times 2 = 122$(cm) 더 깁니다.
따라서 가장 큰 원의 반지름은
$61+122=183$(cm)이므로 가장 큰 원의 지름은
$183 \times 2 = 366$(cm)입니다.

12 (수막새의 지름)$=4 \times 2 = 8$(cm)
$56 \div 8 = 7$이므로 가로로는 수막새의 무늬를 7개까
지 찍을 수 있고, $32 \div 8 = 4$이므로 세로로는 수막새
의 무늬를 4개까지 찍을 수 있습니다.
따라서 수막새의 무늬는 $7 \times 4 = 28$(개)까지 찍을 수
있습니다.

복습 **최상위권 문제**	24~25쪽
1 33 cm	**2** 12개
3 210 cm	**4** 160 cm
5 36개	**6** 7 cm

1 직사각형의 가로는 원의 반지름의 4배입니다.
(원의 반지름)$=48 \div 4 = 12$(cm)
따라서 변 ㄱㄴ과 변 ㄱㄷ은 원의 반지름과 길이가
같으므로 삼각형 ㄱㄴㄷ의 세 변의 길이의 합은
$12+9+12=33$(cm)입니다.

2 그린 원이 □개일 때 선분 ㄱㄴ의 길이는 원의 반지
름의 (□$+1$)배입니다.
따라서 원의 반지름은 $12 \div 2 = 6$(cm)이고,
$78 \div 6 = 13$이므로 그린 원은 모두 $13-1=12$(개)
입니다.

3 비법 PLUS+ 　규칙적으로 반복되는 모양을 찾은 다음 그
모양이 몇 번 반복되는지 알아봅니다.

원 4개로 ⨀⨀ 모양을 반복하여 늘어놓는 규칙이
고, 원 24개는 ⨀⨀ 모양이 6번 반복됩니다.
(⨀⨀ 모양이 1번일 때 직사각형의 가로)
　$=$(원의 반지름)$\times 5 = 7 \times 5 = 35$(cm)
⇨ (⨀⨀ 모양이 6번일 때 직사각형의 가로)
　　$=$(⨀⨀ 모양이 1번일 때 직사각형의 가로)$\times 6$
　　$=35 \times 6 = 210$(cm)

4 (원의 반지름)$=4 \div 2 = 2$(cm)
원의 중심을 이어서 만든 직사각형의
가로는 $2+44+2=48$(cm)이고,
세로는 $2+28+2=32$(cm)입니다.
따라서 원의 중심을 이어서 만든 직사각형의 네 변의
길이의 합은 $48+32+48+32=160$(cm)입니다.

5 비법 PLUS+ 　먼저 사각형의 한 변의 길이를 구한 다음
몇 번째 그림인지 알아봅니다.

만든 사각형에서 네 변의 길이는 모두 같으므로 사
각형의 네 변의 길이의 합이 80 cm라면 한 변은
$80 \div 4 = 20$(cm)입니다.
□번째 그림에서 만든 사각형의 한 변은
$(4 \times$□$)$ cm이고 사각형의 한 변이 20 cm이면
$4 \times$□$=20$, □$=5$이므로 5번째 그림입니다.
따라서 □번째 그림에서 그린 원의 수는
(□$+1$)개씩 (□$+1$)줄이므로 5번째 그림에서 그린
원은 모두 $6 \times 6 = 36$(개)입니다.

6 비법 PLUS+ 　고리 8개의 바깥쪽 지름의 합에서 엮인 부
분의 길이의 합을 빼면 선분 ㄱㄴ의 길이입니다.

고리 2개를 엮었을 때 엮인 부분의 길이는
$2+2=4$(cm)이고, 엮인 부분이 7군데이므로 엮인
부분의 길이의 합은 $4 \times 7 = 28$(cm)입니다.
고리의 바깥쪽 지름을 □ cm라 하면
□$\times 8 = 84+28$, □$\times 8 = 112$,
□$=112 \div 8 = 14$입니다.
따라서 고리의 바깥쪽 반지름은 $14 \div 2 = 7$(cm)입니
다.

4 분수

1 11개	**2** 15
3 1, 2, 3, 4	**4** 9개
5 $\dfrac{7}{12}$	**6** $\dfrac{17}{8}$

1 • 윤호에게 준 소시지는 24의 $\dfrac{3}{8}$이므로 9개입니다.

• 준서에게 준 소시지는 24의 $\dfrac{1}{6}$이므로 4개입니다.
⇨ (남은 소시지의 수)=24−9−4=11(개)

2 $\dfrac{4}{5}$는 $\dfrac{1}{5}$이 4개이므로 어떤 수의 $\dfrac{1}{5}$은 48÷4=12
이고 어떤 수는 12×5=60입니다.

따라서 60의 $\dfrac{1}{4}$은 15입니다.

3 $\dfrac{40}{7}$을 대분수로 나타내면

$\dfrac{40}{7}$ ⇨ $\dfrac{35}{7}$와 $\dfrac{5}{7}$ ⇨ $5\dfrac{5}{7}$입니다.

따라서 $5\dfrac{5}{7} > 5\dfrac{\square}{7}$ ⇨ 5>□이므로 □ 안에 들어
갈 수 있는 자연수는 1, 2, 3, 4입니다.

4 • 분모가 한 자리 수인 진분수: $\dfrac{2}{3}$, $\dfrac{2}{7}$, $\dfrac{3}{7}$ ⇨ 3개

• 분모가 두 자리 수인 진분수:

$\dfrac{7}{23}$, $\dfrac{3}{27}$, $\dfrac{7}{32}$, $\dfrac{2}{37}$, $\dfrac{3}{72}$, $\dfrac{2}{73}$ ⇨ 6개
따라서 만들 수 있는 진분수는 모두 3+6=9(개)입니다.

5

합이 19인 두 수	5	6	7	8
	14	13	12	11

└ 차가 5인 두 수

따라서 분모와 분자의 합이 19이고 차가 5인 진분수
는 분모가 12, 분자가 7이므로 $\dfrac{7}{12}$입니다.

다른 풀이 구하려는 진분수를 $\dfrac{\blacktriangle}{\blacksquare}$($\blacksquare$ > $\blacktriangle$)이라 하면

$\blacksquare+\blacktriangle=19$, $\blacksquare-\blacktriangle=5$입니다.
두 식을 더하면 $\blacksquare+\blacksquare=24$, $\blacksquare=12$이므로 $\blacksquare+\blacktriangle=19$
에서 $12+\blacktriangle=19$, $\blacktriangle=7$입니다.
따라서 구하려는 진분수는 $\dfrac{7}{12}$입니다.

6 ①로 ②를 덮으려면 ①은 2개 필요하고, ①로 ③을
덮으려면 ①은 4개 필요합니다.
주어진 모양은 ①이 5개, ②가 2개, ③이 2개 있으
므로 주어진 모양을 덮으려면 ①은 모두 17개 필요
합니다.

따라서 ①은 색종이 한 장의 $\dfrac{1}{8}$이므로 주어진 모양

을 덮기 위해 필요한 색종이는 색종이 한 장의 $\dfrac{17}{8}$

입니다.

1 $4\dfrac{7}{12}$	**2** 30
3 윤호	**4** 7
5 $\dfrac{4}{9}$	**6** 112
7 $\dfrac{14}{5}$, $\dfrac{15}{5}$, $\dfrac{16}{5}$, $\dfrac{17}{5}$, $\dfrac{18}{5}$, $\dfrac{19}{5}$	
8 27 m	**9** 18분
10 13가지	**11** ㉣
12 약 820 cm	

1 가분수는 분모가 12, 분자가 67−12=55이므로

$\dfrac{55}{12}$입니다. $\dfrac{55}{12}$를 대분수로 나타내면

$\dfrac{55}{12}$ ⇨ $\dfrac{48}{12}$과 $\dfrac{7}{12}$ ⇨ $4\dfrac{7}{12}$입니다.

따라서 어떤 대분수는 $4\dfrac{7}{12}$입니다.

2 $\dfrac{31}{9}=3\dfrac{4}{9}$이고 $\dfrac{33}{4}=8\dfrac{1}{4}$이므로 $3\dfrac{4}{9}$보다 크고

$8\dfrac{1}{4}$보다 작은 자연수는 4, 5, 6, 7, 8입니다.
따라서 두 수 사이에 있는 자연수의 합은
4+5+6+7+8=30입니다.

3 • 윤호가 가진 철사의 길이는 91 cm의 $\dfrac{2}{7}$이므로

26 cm입니다.

• 영주가 가진 철사의 길이는 91 cm의 $\dfrac{5}{13}$이므로

35 cm입니다.

• 현태가 가진 철사의 길이는
91−26−35=30(cm)입니다.
따라서 26 cm<30 cm<35 cm이므로 윤호가 가
진 철사가 가장 짧습니다.

4 $6\dfrac{4}{\square}$ ⇨ $\dfrac{6\times\square}{\square}$와 $\dfrac{4}{\square}$ ⇨ $\dfrac{46}{\square}$

분자를 비교하면 $6\times\square$와 4를 더한 수가 46이므로 $6\times\square=42$, $\square=7$입니다.

5 색종이 72장을 한 묶음에 8장씩 묶으면 $72\div8=9$(묶음)이 됩니다.

남은 색종이 40장은 5묶음이므로 게시판을 꾸미는 데에 사용한 색종이는 $9-5=4$(묶음)입니다.

따라서 게시판을 꾸미는 데에 사용한 색종이는 전체 묶음의 $\dfrac{4}{9}$입니다.

6 $\dfrac{3}{7}$은 $\dfrac{1}{7}$이 3개이므로 어떤 수의 $\dfrac{1}{7}$은 $18\div3=6$이고 어떤 수는 $6\times7=42$입니다.

$2\dfrac{2}{3}=\dfrac{8}{3}$이고 $\dfrac{8}{3}$은 $\dfrac{1}{3}$이 8개입니다.

따라서 42의 $2\dfrac{2}{3}$는 42의 $\dfrac{8}{3}$이므로 $42\div3=14$, $14\times8=112$입니다.

7

합이 18인	10	11	12	13
두 수	8	7	6	5

↳차가 8인 두 수

분모와 분자의 합이 18이고 차가 8인 가분수는 분모가 5, 분자가 13이므로 $\dfrac{13}{5}$입니다.

$\dfrac{13}{5}$과 분모가 같은 구하려는 가분수를 $\dfrac{\square}{5}$라 하면

$\dfrac{13}{5}<\dfrac{\square}{5}<4$에서 $4=\dfrac{20}{5}$이므로

$\dfrac{13}{5}<\dfrac{\square}{5}<\dfrac{20}{5}$입니다.

따라서 구하려는 가분수는 $\dfrac{14}{5}$, $\dfrac{15}{5}$, $\dfrac{16}{5}$, $\dfrac{17}{5}$, $\dfrac{18}{5}$, $\dfrac{19}{5}$입니다.

8 ・첫 번째로 튀어 오른 공의 높이는 64 m의 $\dfrac{3}{4}$이므로 48 m입니다.

・두 번째로 튀어 오른 공의 높이는 48 m의 $\dfrac{3}{4}$이므로 36 m입니다.

따라서 세 번째로 튀어 오른 공의 높이는 36 m의 $\dfrac{3}{4}$이므로 27 m입니다.

9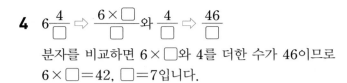
물이 찬 물통 높이 $\left(\dfrac{5}{8}\right)$ 물이 빈 물통 높이 $\left(\dfrac{3}{8}\right)$
30분

30분 동안 물통의 높이의 $\dfrac{5}{8}$만큼 물을 받았으므로 물통의 높이의 $\dfrac{1}{8}$만큼 물을 받는 데에 걸린 시간은 $30\div5=6$(분)입니다.

따라서 더 받아야 할 물은 물통의 높이의 $\dfrac{3}{8}$이므로 물통을 가득 채우려면 앞으로 $6\times3=18$(분) 더 걸립니다.

10 $6<㉠<11$이므로 ㉠이 될 수 있는 수는 7, 8, 9, 10입니다.

$5<㉡<10$이므로 ㉡이 될 수 있는 수는 6, 7, 8, 9입니다.

$\dfrac{㉠}{㉡}$이 가분수가 되려면 $㉠=㉡$ 또는 $㉠>㉡$이어야 합니다.

・㉡=6일 때 ㉠이 될 수 있는 수는 7, 8, 9, 10입니다. ⇨ 4가지

・㉡=7일 때 ㉠이 될 수 있는 수는 7, 8, 9, 10입니다. ⇨ 4가지

・㉡=8일 때 ㉠이 될 수 있는 수는 8, 9, 10입니다. ⇨ 3가지

・㉡=9일 때 ㉠이 될 수 있는 수는 9, 10입니다. ⇨ 2가지

따라서 $\dfrac{㉠}{㉡}$이 가분수가 되는 경우는 모두 $4+4+3+2=13$(가지)입니다.

11 $\dfrac{17}{12}=1\dfrac{5}{12}$이고 $\dfrac{30}{12}=2\dfrac{6}{12}$이므로

$1\dfrac{5}{12}$ km$<2\dfrac{6}{12}$ km$<2\dfrac{11}{12}$ km$<3\dfrac{1}{12}$ km입니다.

따라서 $㉠<㉣<㉢<㉡$이므로 두 번째로 짧은 구간은 ㉣입니다.

12 $\dfrac{4}{45}$는 $\dfrac{1}{45}$이 4개이므로 전체 높이의 약 $\dfrac{1}{45}$은 약 $80\div4=20$(cm)이고 전체 높이는 약 $20\times45=900$(cm)입니다.

따라서 기단부를 제외한 나머지 부분의 높이는 약 $900-80=820$(cm)입니다.

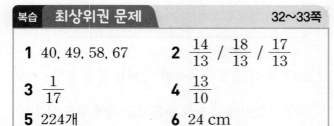

1 40, 49, 58, 67 **2** $\dfrac{14}{13}$ / $\dfrac{18}{13}$ / $\dfrac{17}{13}$

3 $\dfrac{1}{17}$ **4** $\dfrac{13}{10}$

5 224개 **6** 24 cm

1 3<㉠<8이므로 ㉠이 될 수 있는 수는 4, 5, 6, 7 입니다.

㉠$\dfrac{4}{9}=\dfrac{㉡}{9}$이므로

• ㉠=4일 때 $4\dfrac{4}{9}=\dfrac{40}{9}$이므로 ㉡=40입니다.

• ㉠=5일 때 $5\dfrac{4}{9}=\dfrac{49}{9}$이므로 ㉡=49입니다.

• ㉠=6일 때 $6\dfrac{4}{9}=\dfrac{58}{9}$이므로 ㉡=58입니다.

• ㉠=7일 때 $7\dfrac{4}{9}=\dfrac{67}{9}$이므로 ㉡=67입니다.

따라서 ㉡이 될 수 있는 수를 모두 구하면 40, 49, 58, 67입니다.

2 비법 PLUS ➕ 세 가분수의 분자를 각각 ■, ▲, ●이라 하고 조건에 맞는 식을 만들어 봅니다.

㉮$=\dfrac{■}{13}$, ㉯$=\dfrac{▲}{13}$, ㉰$=\dfrac{●}{13}$이라 하면

■＋▲＋●＝49이고 ■＝▲－4, ●＝▲－1입니다.

(▲－4)＋▲＋(▲－1)＝49,

▲＋▲＋▲＝54에서 ▲＝18이고

■＝18－4＝14, ●＝18－1＝17입니다.

따라서 ㉮$=\dfrac{14}{13}$, ㉯$=\dfrac{18}{13}$, ㉰$=\dfrac{17}{13}$입니다.

3 가장 작은 분수가 되려면 분모는 가장 크고, 분자는 가장 작아야 합니다.

분자가 가장 작은 경우는 두 수의 차가 1일 때이고, 2부터 9까지의 자연수 중 두 수의 차가 1이면서 합이 가장 큰 경우는 두 수가 8, 9일 때입니다.

따라서 ㉠=9, ㉡=8이므로 만들 수 있는 분수 중에서 가장 작은 분수는

$\dfrac{㉠－㉡}{㉠＋㉡}=\dfrac{9－8}{9＋8}=\dfrac{1}{17}$입니다.

4 비법 PLUS ➕ 어떤 규칙에 따라 수를 늘어놓은 것인지 알아봅니다.

$\underbrace{(2),}_{1개}\ \underbrace{(1\dfrac{1}{2},\ 2),}_{2개}\ \underbrace{(1\dfrac{1}{3},\ 1\dfrac{2}{3},\ 2),}_{3개}\ \underbrace{(1\dfrac{1}{4},\ 1\dfrac{2}{4},\ 1\dfrac{3}{4},\ 2)}_{4개}$

……

1＋2＋3＋4＋5＋6＋7＋8＋9＝45이므로 48번째에 놓일 수는 10번째 묶음의 3번째 수입니다.

따라서 10번째 묶음의 3번째 수는 자연수가 1, 분모가 10, 분자가 3이므로 $1\dfrac{3}{10}$이고, $1\dfrac{3}{10}$을 가분수로 나타내면 $\dfrac{13}{10}$입니다.

5

오전에 만든 만두의 수

점심시간에 사용한 만두의 수 │ 저녁 시간에 사용한 만두의 수

점심시간에 사용하고 남은 만두의 수 │ 오후에 만든 만두의 수(96개)

오후에 만든 만두 96개는 오전에 만든 만두의 $\dfrac{3}{7}$과 같으므로 오전에 만든 만두의 $\dfrac{1}{7}$은 96÷3＝32(개)입니다.

따라서 오전에 만든 만두는 32×7＝224(개)입니다.

6 비법 PLUS ➕ 공을 떨어뜨린 높이는 바닥의 높이를 포함하므로 주의하여 공과 바닥 사이의 거리를 구합니다.

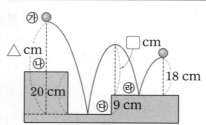

• 두 번째로 떨어진 높이를 ☐ cm라 하면 $\dfrac{3}{4}$은 $\dfrac{1}{4}$이 3개이므로 ☐의 $\dfrac{1}{4}$은 18÷3＝6(cm)이고,

☐＝6×4＝24(cm)입니다.

➡ (첫 번째로 튀어 오른 높이)＝24＋9＝33(cm)

• 첫 번째로 떨어진 높이를 △ cm라 하면 $\dfrac{3}{4}$은 $\dfrac{1}{4}$이 3개이므로 △의 $\dfrac{1}{4}$은 33÷3＝11(cm)이고,

△＝11×4＝44(cm)입니다.

따라서 처음에 떨어뜨린 공과 바닥 ㉯ 사이의 거리는 44－20＝24(cm)입니다.

❺ 들이와 무게

1 6번	**2** 21 kg 360 g
3 5 L 650 mL	**4** 450 g
5 1 L 600 mL	**6** 125 g
7 30초	**8** 수첩

1 가 그릇에 가득 담아 3번 덜어 낸 물의 양은 나 그릇에 가득 담아 1번 덜어 낸 물의 양과 같습니다.
따라서 물통에 가득 채워진 물을 모두 덜어 내려면 나 그릇에 가득 담아 $18 \div 3 = 6$(번) 덜어 내야 합니다.

2 (오늘 캔 고구마의 무게)
$=$(어제 캔 고구마의 무게)-3 kg 640 g
$=12$ kg 500 g-3 kg 640 g
$=8$ kg 860 g
⇨ (어제와 오늘 캔 고구마의 무게)
$=12$ kg 500 g$+8$ kg 860 g
$=21$ kg 360 g

3 $250 \times 7 = 1750$(mL) → 1 L 750 mL,
$400 \times 4 = 1600$(mL) → 1 L 600 mL
(덜어 낸 물의 양)
$=1$ L 750 mL$+1$ L 600 mL
$=3$ L 350 mL
⇨ (양동이에 남아 있는 물의 양)
$=9$ L-3 L 350 mL
$=5$ L 650 mL

4 주어진 두 무게의 차는 야구공 2개의 무게입니다.
(야구공 2개의 무게)
$=3$ kg 700 g-2 kg 400 g
$=1$ kg 300 g$=1300$ g이고
$650 + 650 = 1300$이므로 야구공 1개의 무게는 650 g입니다.
(야구공 3개의 무게)$=650 \times 3 = 1950$(g)
→ 1 kg 950 g
⇨ (빈 상자의 무게)$=2$ kg 400 g-1 kg 950 g
$=450$ g

5 (두 물통에 들어 있는 물의 양의 차)
$=13$ L-9 L 800 mL$=3$ L 200 mL
따라서 3 L 200 mL$=1$ L 600 mL$+1$ L 600 mL
이므로 ㉯ 물통에서 ㉮ 물통으로 옮겨야 하는 물의 양은 차의 절반인 1 L 600 mL입니다.

6 (바나나 4개의 무게)$=$(감 3개의 무게)
$=200 \times 3 = 600$(g)
(바나나 1개의 무게)$=600 \div 4 = 150$(g)
(자두 6개의 무게)$=$(바나나 5개의 무게)
$=150 \times 5 = 750$(g)
⇨ (자두 1개의 무게)$=750 \div 6 = 125$(g)

7 1초 동안 통에 채워지는 물은
240 mL-40 mL$=200$ mL입니다.
200 mL$+200$ mL$+200$ mL$=600$ mL이므로
600 mL의 물을 받는 데 3초가 걸리고,
6 L는 600 mL의 10배이므로 6 L의 물을 받는 데
$3 \times 10 = 30$(초)가 걸립니다.
따라서 통에 물을 가득 채우려면 30초가 걸립니다.

8 • 추를 1개만 사용하여 잴 수 있는 무게:
250 g, 400 g
• 추 2개를 동시에 사용하여 잴 수 있는 무게:
400 g-250 g$=150$ g,
250 g$+400$ g$=650$ g
따라서 주어진 추로 500 g은 잴 수 없으므로 무게를 잴 수 없는 물건은 수첩입니다.

1 주전자	**2** 1 L 520 mL
3 7 kg 500 g	**4** 1 L 770 mL
5 8대	**6** 9 kg 100 g
7 650 mL	**8** 8번
9 30, 10, 40, 20	**10** 150 g
11 1 kg 125 g	**12** 4 L 320 mL

1 냄비의 들이는 그릇 11개,
양동이의 들이는 그릇 $11 + 2 = 13$(개),
주전자의 들이는 그릇 $13 - 4 = 9$(개)와 같습니다.
따라서 그릇의 수를 비교하면 $9 < 11 < 13$이므로 들이가 가장 적은 것은 주전자입니다.

2 (누나가 마신 식혜의 양)$=$(남은 식혜의 양)
$=380$ mL
(승우가 마신 식혜의 양)$=380$ mL$+380$ mL
$=760$ mL
⇨ (처음 주전자에 들어 있던 식혜의 양)
$=760$ mL$+760$ mL$=1$ L 520 mL

3 (책가방 무게의 2배인 무게)
　＝4 kg 600 g＋4 kg 600 g＝9 kg 200 g
　⇨ (여행 가방의 무게)
　　＝9 kg 200 g－1 kg 700 g
　　＝7 kg 500 g

4 (재욱이가 마신 우유의 양)
　＝700 mL－120 mL＝580 mL
　(연수와 재욱이가 마신 우유의 양)
　＝700 mL＋580 mL＝1 L 280 mL
　⇨ (두 사람이 마시고 남은 우유의 양)
　　＝3 L 50 mL－1 L 280 mL
　　＝1 L 770 mL

5 (지호네 마을 세 염전의 소금 생산량)
　＝5310＋4600＋5090＝15000(kg) → 15 t
　15÷2＝7…1이므로 소금을 2 t씩 트럭 7대에 운
　반하면 1 t이 남습니다.
　따라서 남는 1 t도 운반해야 하므로 트럭이 적어도
　7＋1＝8(대) 필요합니다.

6 1800 g＝1 kg 800 g이고,
　16 kg 400 g－1 kg 800 g＝14 kg 600 g이므로
　민아네 집이 가져가는 소고기의 무게는
　14 kg 600 g의 절반인 7 kg 300 g입니다.
　따라서 현수네 집이 가져가는 소고기의 무게는
　7 kg 300 g＋1 kg 800 g＝9 kg 100 g입니다.

7 (㉮ 수조에 들어 있는 물의 양)
　＝4 L 900 mL＋900 mL＝5 L 800 mL
　(㉯ 수조에 들어 있는 물의 양)
　＝5 L 100 mL－600 mL＝4 L 500 mL
　⇨ (두 수조에 들어 있는 물의 양의 차)
　　＝5 L 800 mL－4 L 500 mL
　　＝1 L 300 mL
　따라서 1 L 300 mL＝650 mL＋650 mL이므로
　㉮ 수조에서 ㉯ 수조로 옮겨야 하는 물의 양은 차의
　절반인 650 mL입니다.

8 350×2＝700(mL),
　500×5＝2500(mL) → 2 L 500 mL
　(어항에 들어 있는 물의 양)
　＝700 mL＋2 L 500 mL＝3 L 200 mL
　⇨ (더 부어야 하는 물의 양)
　　＝8 L－3 L 200 mL
　　＝4 L 800 mL＝4800 mL

따라서 600×8＝4800이므로 이 어항에 물을 가득
채우려면 들이가 600 mL인 컵으로 적어도 8번 더
부어야 합니다.

9 [저울 1] (공 ㉮의 무게)＋20 g
　　　　　＝(공 ㉯의 무게)＋(공 ㉰의 무게)
　[저울 2] (공 ㉱의 무게)＋20 g＝(공 ㉰의 무게)
　[저울 3] (공 ㉯의 무게)＋20 g＝(공 ㉮의 무게)
　• [저울 1] 식의 공 ㉮의 무게 대신에 [저울 3] 식의
　　(공 ㉯의 무게)＋20 g을 써넣으면 공 ㉰의 무게를
　　구할 수 있습니다.
　　(공 ㉯의 무게)＋20 g＋20 g
　　＝(공 ㉯의 무게)＋(공 ㉰의 무게)
　　⇨ (공 ㉰의 무게)＝20 g＋20 g＝40 g
　• [저울 2] 식에 공 ㉰의 무게를 넣으면 공 ㉱의 무게
　　를 구할 수 있습니다.
　　(공 ㉱의 무게)＋20 g＝40 g
　　⇨ (공 ㉱의 무게)＝40 g－20 g＝20 g
　• 공 ㉮와 공 ㉯의 무게는 각각 10 g, 30 g 중 하나
　　이고 [저울 3] 식에서 10 g＋20 g＝30 g이므로
　　(공 ㉮의 무게)＝30 g, (공 ㉯의 무게)＝10 g입니다.

10 • (감자 5개의 무게)＝(호박 2개의 무게)이므로
　　(감자 5개의 무게)＋(호박 5개의 무게)＝3500 g
　　　‾‾‾‾＝(호박 2개의 무게)
　　에서 (호박 7개의 무게)＝3500 g이고,
　　500×7＝3500이므로
　　호박 1개의 무게는 500 g입니다.
　• (감자 5개의 무게)＝(호박 2개의 무게)
　　　　　　　　＝500×2＝1000(g)이고,
　　200×5＝1000이므로
　　감자 1개의 무게는 200 g입니다.
　• (양파 4개의 무게)＝(감자 3개의 무게)
　　　　　　　　＝200×3＝600(g)
　　⇨ (양파 1개의 무게)＝600÷4＝150(g)

11 멥쌀가루 500 g으로 송편을 만드는 데 필요한 삶은
　고구마는 250÷2＝125이므로 125 g입니다.
　따라서 멥쌀가루 4 kg 500 g으로 송편을 만드는 데
　필요한 삶은 고구마는
　125×9＝1125(g) → 1 kg 125 g입니다.

12 참기름 4홉은 180×4＝720(mL)이고,
　간장 2되는
　1 L 800 mL＋1 L 800 mL＝3 L 600 mL입니다.
　따라서 주희 어머니께서 사신 물건은 모두
　720 mL＋3 L 600 mL＝4 L 320 mL입니다.

복습 **최상위권 문제** **40~41쪽**

1 102 kg	**2** 800 mL
3 5 kg 500 g	**4** 3분
5 2 L 400 mL	**6** 12가지

1 진호, 수현, 영아의 몸무게를 각각 ㉠, ㉡, ㉢이라
하면 ㉠+㉡=69 kg 700 g,
㉡+㉢=66 kg 50 g,
㉢+㉠=68 kg 250 g입니다.
세 식을 더하면
㉠+㉡+㉡+㉢+㉢+㉠
=69 kg 700 g+66 kg 50 g+68 kg 250 g
=204 kg입니다.
㉠+㉡+㉢+㉠+㉡+㉢=204 kg
⇨ ㉠+㉡+㉢=102 kg
따라서 세 사람의 몸무게의 합은 102 kg입니다.

2 ㉯ 병에 담은 참기름의 양을 □라 하면
㉮ 병에 담은 참기름의 양은 □+300 mL,
㉰ 병에 담은 참기름의 양은 □−550 mL입니다.
할머니께서 짠 참기름이 2 L 150 mL이므로 세 병
에 담은 참기름의 양의 합은 2 L 150 mL입니다.
□+300 mL+□+□−550 mL
=2 L 150 mL에서
□+□+□=2 L 400 mL이고
800 mL+800 mL+800 mL=2 L 400 mL
이므로 □=800 mL입니다.
따라서 ㉯ 병에 담은 참기름은 800 mL입니다.

3 비법 PLUS+ 먼저 추가 요금을 구한 다음 추가 요금을
이용해 4 kg에서 추가된 택배 상자의 무게를 알아봅니다.

택배 상자를 보내는 데 5300원의 요금을 냈으므로
추가 요금은 5300−3500=1800(원)입니다.
600×3=1800이므로 4 kg에서 추가된 무게는
500×3=1500(g) → 1 kg 500 g입니다.
따라서 정아가 보낸 택배 상자는
4 kg+1 kg 500 g=5 kg 500 g입니다.

4 비법 PLUS+ 먼저 가 배수구만 열어 놓은 시간 동안 빠
져나간 물의 양과 가와 나 배수구를 모두 열어 놓은 시간
동안 빠져나간 물의 양을 각각 구합니다.

물이 나 배수구에서는 1분에
2 L 500 mL+2 L 500 mL+2 L 500 mL
+2 L 500 mL=10 L씩 빠져나갑니다.

(가 배수구만 열어서 2분 동안 빠져나간 물의 양)
=2 L 500 mL+2 L 500 mL=5 L
(가와 나 배수구를 모두 열어서 1분 동안 빠져나간
물의 양)=2 L 500 mL+10 L=12 L 500 mL
빠져나간 물의 양의 합이 47 L 500 mL이므로
(나 배수구만 열어서 빠져나간 물의 양)
=47 L 500 mL−5 L−12 L 500 mL
=30 L입니다.
따라서 30 L=10 L+10 L+10 L이므로 나 배수
구만 열어 놓은 시간은 3분입니다.

5 4 L=4000 mL이므로 민수가 가져간 물은
4000 mL의 $\frac{1}{5}$인 800 mL입니다.
민수가 가져가고 남은 물은
4000 mL−800 mL=3200 mL이므로
성연이가 가져간 물은
3200 mL의 $\frac{1}{8}$인 400 mL입니다.
민수와 성연이가 가져가고 남은 물은
3200 mL−400 mL=2800 mL이므로
용혁이가 가져간 물은
2800 mL의 $\frac{1}{7}$인 400 mL입니다.
따라서 생수통에 남은 물은
2800 mL−400 mL=2400 mL=2 L 400 mL
입니다.

6 비법 PLUS+ 1 g짜리 추 5개는 5 g짜리 추 1개의 무게
와 같음을 이용하여 중복되지 않게 20 g인 물건의 무게를
재는 방법을 모두 찾아봅니다.

- 1 g짜리 추 20개 사용
- 1 g짜리 추 15개, 5 g짜리 추 1개 사용
- 1 g짜리 추 10개, 5 g짜리 추 2개 사용
- 1 g짜리 추 10개, 10 g짜리 추 1개 사용
- 1 g짜리 추 5개, 5 g짜리 추 3개 사용
- 1 g짜리 추 5개, 5 g짜리 추 1개, 10 g짜리 추 1개
  사용
- 1 g짜리 추 5개, 15 g짜리 추 1개 사용
- 5 g짜리 추 4개 사용
- 5 g짜리 추 2개, 10 g짜리 추 1개 사용
- 5 g짜리 추 1개, 15 g짜리 추 1개 사용
- 10 g짜리 추 2개 사용
- 20 g짜리 추 1개 사용

따라서 20 g인 물건의 무게를 재는 방법은 모두 12
가지입니다.

6 자료의 정리

1 17개 **2** 47대

3 4700원

4 (위에서부터) 18, 55 / 27, 56

5

팔린 아이스크림 수

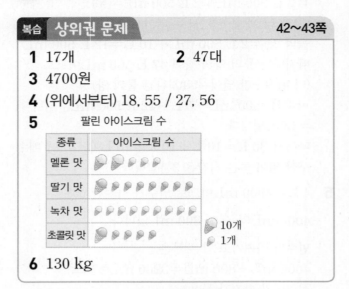

종류	아이스크림 수
멜론 맛	
딸기 맛	
녹차 맛	
초콜릿 맛	

🍦 10개
🍦 1개

6 130 kg

1 • 판매량이 가장 많은 빵: 단팥빵(33개)
• 판매량이 가장 적은 빵: 마늘빵(16개)
⇨ 33−16=17(개)

2 103동에 비치된 소화기가 54대이므로 큰 그림 5개와 작은 그림 4개가 54대입니다.
⇨ 큰 그림은 10대, 작은 그림은 1대를 나타냅니다.
따라서 101동에 비치된 소화기는 큰 그림이 4개, 작은 그림이 7개이므로 47대입니다.

3 (4일 동안 모은 영수증의 수)
=320+170+240+210=940(장)
⇨ (4일 동안 모은 영수증 후원금)
=5×940=4700(원)

4 • (가야금을 배우고 싶은 여학생 수)
=9×3=27(명)
• (태평소를 배우고 싶은 남학생 수)
=10+14−6=18(명)
• (남학생 수의 합계)=13+10+14+18=55(명)
• (여학생 수의 합계)=27+14+9+6=56(명)

5 • 멜론 맛: 23개
• 녹차 맛: 9개
팔린 초콜릿 맛 아이스크림의 수를 □개라 하면 딸기 맛 아이스크림의 수는 (□+3)개이므로
23+(□+3)+9+□=63입니다.
⇨ □+□+35=63, □+□=28, □=14
따라서 팔린 초콜릿 맛 아이스크림은 14개이고, 딸기 맛 아이스크림은 14+3=17(개)입니다.

6 • 철로의 남쪽에 있는 목장은 ㉣, ㉤ 목장이므로 치즈 생산량의 합은 340+170=510(kg)입니다.
• 강의 동쪽에 있는 목장은 ㉯, ㉰, ㉱ 목장이므로 치즈 생산량은 ㉯+210+170=510입니다.
따라서 ㉯ 목장의 치즈 생산량은
510−210−170=130(kg)입니다.

1 65장

2 8, 21, 13 /

종류별 나무 수

종류	참나무	소나무	단풍나무	은행나무

◎10그루
○1그루

3 2200권

4 아침 목장, 가람 목장, 신선 목장, 튼튼 목장

5 1080원 **6** 78개

7

빚은 송편 수

이름	송편 수
준희	◎△○○
승범	◎◎△
지수	◎◎◎△○

8 170, 340, 920 **9** 수진 / 8개

10 140명 **11** 360명

12 155점

1 • 가장 많이 모은 학생: 윤경(42장)
• 가장 적게 모은 학생: 석호(23장)
⇨ 42+23=65(장)

2 • 그림그래프를 보면 단풍나무는 21그루, 은행나무는 13그루입니다.
• (소나무 수)=56−14−21−13=8(그루)

3 (1, 2, 3학년 학생 수의 합)
 =140+250+160=550(명)
 ⇨ (필요한 공책 수)=4×550=2200(권)

4 • 아침 목장: 160 kg
 • 신선 목장: 320 kg
 • 가람 목장: 250 kg
 ⇨ (튼튼 목장의 우유 생산량)
  =1070-160-320-250=340(kg)
따라서 160 kg<250 kg<320 kg<340 kg이므
로 우유 생산량이 적은 목장부터 순서대로 쓰면 아
침 목장, 가람 목장, 신선 목장, 튼튼 목장입니다.

5 • 가장 많이 팔린 색깔: 노란색(41장)
 ⇨ (색종이 값)=60×41=2460(원)
 • 두 번째로 적게 팔린 색깔: 분홍색(23장)
 ⇨ (색종이 값)=60×23=1380(원)
따라서 가장 많이 팔린 색깔과 두 번째로 적게 팔린
색깔의 색종이 값의 차는 2460-1380=1080(원)
입니다.

6 왼쪽 그림그래프에서 준희가 빚은 송편 17개는 ◎
1개와 ○ 7개이므로 ◎은 송편 10개, ○은 송편 1
개를 나타냅니다.
 ⇨ (세 사람이 빚은 송편의 수의 합)
  =17+25+36=78(개)

7 준희가 빚은 송편 17개가 ◎ 1개, △ 1개, ○ 2개이
므로 ◎은 송편 10개, △은 송편 5개, ○은 송편 1
개를 나타냅니다.
 • 승범: 25개 ⇨ ◎ 2개, △ 1개
 • 지수: 36개 ⇨ ◎ 3개, △ 1개, ○ 1개

8 • 9일에 한 줄넘기 횟수:
  160×2=320, 320+20=340(회)
 • 8일에 한 줄넘기 횟수:
  340의 $\frac{1}{2}$은 170이므로 170회입니다.

9 • 성호: 20-13=7(개)
 • 수진: 24-16=8(개)
 • 선영: 28-24=4(개)
따라서 모은 빈 병 수가 가장 많이 늘어난 사람은 수
진이고, 8개 늘어났습니다.

10 A형인 학생은 250명입니다.
B형인 학생 수를 □명이라 하면 O형인 학생 수는
(□+90)명, AB형인 학생 수는 (□-70)명이므로
250+□+(□+90)+(□-70)=900입니다.
 ⇨ 270+□+□+□=900,
  □+□+□=630, □=210
따라서 AB형인 학생은 210-70=140(명)입니다.

11 R석의 입장객 수를 □명이라 하면 A석의 입장객
수는 (□×2)명이므로
      •□+□
150+□+240+(□+□)=930입니다.
 ⇨ □+□+□+390=930,
  □+□+□=540, □=180
따라서 A석의 입장객 수는 180×2=360(명)입니
다.

12 점수가 가장 높은 학생은 맞힌 화살의 수가 가장 많
은 우진입니다.
우진이가 맞힌 화살은 17개이므로 맞히지 못한 화살
은 20-17=3(개)입니다.
따라서 우진이가 얻은 점수는 10×17=170(점), 잃
은 점수는 5×3=15(점)이므로 우진이의 점수는
170-15=155(점)입니다.

복습 **최상위권 문제** 48~49쪽

1 ㉠, ㉣   **2** 94개
3 900그릇   **4** 프랑스, 미국, 일본
5

과수원별 사과 생산량

과수원	사과 생산량
가	◎◎◎○○○○
나	◎◎◎◎○○○○
다	◎◎◎◎○
라	◎○○○○○○○

◎100상자
○ 10상자

6 114명

1 비법 PLUS➕ 두 반의 학생이 모두 60명임을 이용하여 표의 빈칸을 채운 후 표를 보고 알 수 있는 내용을 찾습니다.

- 소희네 반 학생 수: $60-28=32$(명)
- 소희네 반에서 체육을 좋아하는 학생 수:
  $32-8-7-5=12$(명)
- 지수네 반에서 영어를 좋아하는 학생 수:
  $28-9-6-5=8$(명)
- (음악을 좋아하는 학생 수)$=8+9=17$(명)
  (체육을 좋아하는 학생 수)$=12+6=18$(명)
  (수학을 좋아하는 학생 수)$=7+5=12$(명)
  (영어를 좋아하는 학생 수)$=5+8=13$(명)

2 비법 PLUS➕ 만든 쿠키 수가 가장 적으려면 초코칩 쿠키의 수가 가장 커야 합니다.

가장 많이 만든 쿠키가 초코칩 쿠키(32개)일 때 준서가 만든 쿠키가 가장 적습니다.
⇨ 녹차 쿠키: $32-15=17$(개)
따라서 준서가 만든 쿠키는 모두
$32+21+24+17=94$(개)입니다.

3 비법 PLUS➕ 큰 그림과 작은 그림이 나타내는 수를 각각 구하지 않고 네 가게에서 팔린 라면 수의 합이 다 가게에서 팔린 라면 수의 몇 배인지를 이용합니다.

다 가게에서 팔린 라면은 큰 그림이 1개, 작은 그림이 3개이고, 네 가게에서 팔린 라면은 큰 그림이 6개, 작은 그림이 18개이므로 네 가게에서 팔린 라면은 다 가게에서 팔린 라면의 6배입니다.
따라서 네 가게에서 팔린 라면은 모두
$150\times6=900$(그릇)입니다.

4
- 프랑스: 32장
- 미국: 28장

일본 우표 수는 $32+28=60$(장)의 $\dfrac{2}{5}$이므로 24장입니다.

따라서 32장>28장>24장이므로 우표를 많이 모은 나라부터 순서대로 쓰면 프랑스, 미국, 일본입니다.

5 비법 PLUS➕ 가 과수원의 사과 생산량을 □상자라 하면 다 과수원의 사과 생산량은 (□+170)상자임을 이용합니다.

가 과수원의 사과 생산량을 □상자라 하면 다 과수원의 사과 생산량은 (□+170)상자이므로
□+340+(□+170)+170=1160입니다.
⇨ □+□+680=1160,
  □+□=480, □=240
따라서 가 과수원의 사과 생산량은 240상자, 다 과수원의 사과 생산량은
$240+170=410$(상자)입니다.

6 비법 PLUS➕ 아름 마을에 사는 학생 수를 □명이라 하면 다정 마을에 사는 학생 수는 (□×3)명임을 이용합니다.

아름 마을에 사는 학생 수를 □명이라 하면 다정 마을에 사는 학생 수는 (□×3)명이므로
┗•□+□+□
$34+42+26+□+(□+□+□)=174$입니다.
⇨ $102+□+□+□+□=174$,
  □+□+□+□=72, □=18이므로 아름 마을에 사는 학생은 18명, 다정 마을에 사는 학생은 $18\times3=54$(명)입니다.
따라서 강을 건너야 학교에 갈 수 있는 마을은 장수 마을(34명), 다정 마을(54명), 서경 마을(26명)이므로 모두 $34+54+26=114$(명)입니다.

✛ 개념·플러스·유형·시리즈 개념과 유형이 하나로! 가장 효과적인 수학 공부 방법을 제시합니다.

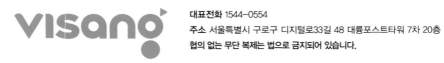
대표전화 1544-0554
주소 서울특별시 구로구 디지털로33길 48 대륭포스트타워 7차 20층
협의 없는 무단 복제는 법으로 금지되어 있습니다.

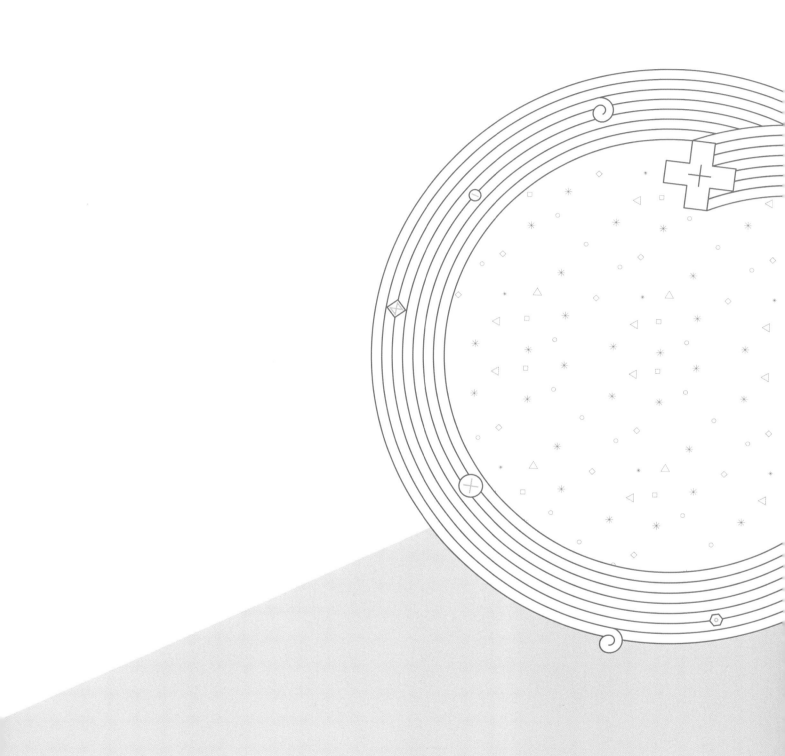

개념┿유형 최상위탑

REVIEW
BOOK

초등 수학
3·2

책 속의 가접 별책 (특허 제 0557442호)

· 'REVIEW BOOK'은 TOP BOOK에서 쉽게 분리할 수 있도록 제작되었으므로
유통 과정에서 분리될 수 있으나 파본이 아닌 정상제품입니다.

visang

우리는 남다른 상상과 혁신으로
교육 문화의 새로운 전형을 만들어
모든 이의 행복한 경험과 성장에 기여한다

ABOVE IMAGINATION

우리는 남다른 상상과 혁신으로
교육 문화의 새로운 전형을 만들어
모든 이의 행복한 경험과 성장에 기여한다

개념^{PLUS}유형

최상위 탑

Review Book

3·2

● 거스름돈 구하기

대표유형 **1**
현아는 가게에서 470원짜리 초콜릿 4개와 860원짜리 음료수 3개를 사고 5000원을 냈습니다. 현아가 받아야 할 거스름돈은 얼마인지 구해 보시오.

(   )

● 바르게 계산하면 얼마인지 구하기

대표유형 **2**
어떤 수에 50을 곱해야 할 것을 잘못하여 뺐더니 23이 되었습니다. 바르게 계산하면 얼마인지 구해 보시오.

(   )

● ☐ 안에 들어갈 수 있는 수 구하기

대표유형 **3**
1부터 9까지의 수 중에서 ☐ 안에 들어갈 수 있는 수를 모두 구해 보시오.

$$\square \times 92 < 7 \times 64$$

(   )

● 곱셈식 완성하기

대표유형 **4**
오른쪽 곱셈식에서 ㉠, ㉡, ㉢, ㉣에 알맞은 수를 각각 구해 보시오.

$$\begin{array}{r} 4\ ㉠ \\ \times\ ㉡\ 9 \\ \hline 4\ 1\ 4 \\ ㉢\ 2\ 0 \\ \hline 1\ ㉣\ 3\ 4 \end{array}$$

㉠ (   ), ㉡ (   )
㉢ (   ), ㉣ (   )

• 이어 붙인 종이띠의 전체 길이 구하기

대표유형 5

길이가 50 cm인 종이띠 20장을 그림과 같이 8 cm씩 겹쳐서 한 줄로 길게 이어 붙였습니다. 20장을 이어 붙인 종이띠의 전체 길이는 몇 cm인지 구해 보시오.

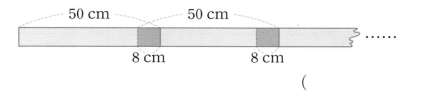

(   )

• 수 카드로 곱셈식을 만들고 계산하기

대표유형 6

3장의 수 카드를 모두 한 번씩만 사용하여 곱이 가장 큰 (한 자리 수)×(두 자리 수)의 곱셈식을 만들고 계산해 보시오.

(   )

• 약속에 따라 계산하기

대표유형 7

㉮▼㉯를 다음과 같이 약속할 때 143▼7의 값을 구해 보시오.

㉮×㉯=㉰, ㉮+㉯=㉱일 때 ㉮▼㉯=㉰−㉱입니다.

(   )

• 도로의 길이 구하기

신유형 8

오른쪽 그림과 같이 산책로의 양쪽에 15 m 간격으로 처음부터 끝까지 나무를 심으려고 합니다. 필요한 나무가 86그루라면 산책로의 길이는 몇 m인지 구해 보시오. (단, 나무의 두께는 생각하지 않습니다.)

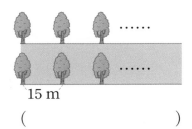

(   )

1 어느 주차장에 있는 이동 수단의 수를 표로 나타내었습니다. 이 주차장에 있는 이동 수단의 바퀴는 모두 몇 개인지 구해 보시오.

주차장에 있는 이동 수단의 수

종류	승용차	오토바이	버스
이동 수단 수(대)	85	174	38

( )

2 보기 에서 규칙을 찾아 508◆6의 값을 구해 보시오.

보기
$$3 ◆ 18 = 51 \qquad 25 ◆ 40 = 975 \qquad 72 ◆ 36 = 2520$$

( )

3 20분에 25개씩 만두를 만드는 기계가 있습니다. 이 기계로 하루 동안 만들 수 있는 만두는 모두 몇 개인지 구해 보시오.

( )

★ 빠른 정답 7쪽, 정답과 풀이 40쪽

4 348에 어떤 수를 곱해야 할 것을 잘못하여 더했더니 351이 되었습니다. 바르게 계산한 값과 잘못 계산한 값의 차를 구해 보시오.

(   )

비법 Note

5 색종이를 한 학생에게 16장씩 40명에게 나누어 주면 23장이 남습니다. 이 색종이를 한 학생에게 20장씩 40명에게 나누어 주려면 더 준비해야 하는 색종이는 적어도 몇 장인지 구해 보시오.

(   )

6 1부터 9까지의 수 중에서 ☐ 안에 공통으로 들어갈 수 있는 수를 구해 보시오.

- $\square \times 38 > 185$
- $26 \times 90 > 416 \times \square$

(   )

7 4장의 수 카드를 모두 한 번씩만 사용하여 (두 자리 수)×(두 자리 수)의 곱셈식을 만들려고 합니다. 곱이 가장 클 때와 가장 작을 때의 합을 구해 보시오.

(   )

비법 Note

8 조건 을 모두 만족하는 두 수의 곱을 구해 보시오.

> 조건
> • 두 수의 차는 16입니다.
> • 두 수의 합은 74입니다.

(   )

9 오른쪽과 같이 세 변의 길이가 같은 삼각형의 세 변 위에 일정한 간격으로 점을 찍으려고 합니다. 한 변에 145개씩 점을 찍으려면 점을 모두 몇 개 찍어야 하는지 구해 보시오. (단, 세 꼭짓점에는 반드시 점을 찍습니다.)

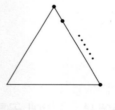

(   )

10 일정한 빠르기로 서로 맞물려 돌아가는 2개의 톱니바퀴가 있습니다. 큰 톱니바퀴가 1번 돌아갈 때 작은 톱니바퀴는 5번 돌아갑니다. 큰 톱니바퀴가 1분에 8번 돈다면 작은 톱니바퀴는 1시간 13분 동안 몇 번 돌게 되는지 구해 보시오.

(   )

창의융합형 문제

11 다음은 인도에서 유래한 꽈배기 곱셈 방법으로 78×96을 계산한 것입니다.

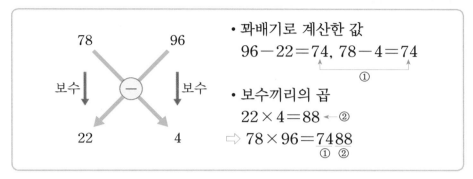

- 꽈배기로 계산한 값
  $96 - 22 = 74$, $78 - 4 = 74$ ①
- 보수끼리의 곱
  $22 \times 4 = 88$ ← ②
  $\Rightarrow 78 \times 96 = 7488$
  ① ②

꽈배기 곱셈 방법으로 83×95를 계산해 보시오.

(   )

창의융합 PLUS +

● 보수
더해서 10, 100, 1000이 되도록 만드는 수입니다.
10에 대한 7의 보수는 3이고, 100에 대한 85의 보수는 15이고, 1000에 대한 900의 보수는 100입니다.

12 제2차 걸프 전쟁이라고 불리는 이라크 전쟁은 안전 보장 이사회의 결의안에 의해 2003년 3월 20일 미군의 이라크 침공으로 시작되어 2011년 12월 15일 끝났습니다. 이라크 전쟁이 시작되어 끝날 때까지의 기간은 며칠인지 구해 보시오. (단, 2004년, 2008년은 2월이 29일까지 있는 윤년입니다.)

▲ 이라크 전쟁 당시의 모습

(   )

● 안전 보장 이사회
국제 연합을 구성하는 주요 기구 중의 하나로 국제 평화와 안전을 유지하기 위해 분쟁을 조정하는 일을 합니다.

1 어떤 문제집의 펼쳐진 두 쪽수를 곱했더니 2352였습니다. 펼쳐진 두 쪽수는 각각 몇 쪽인지 구해 보시오.

(   )

2 길이가 16 cm인 종이띠 27장을 같은 길이만큼씩 겹쳐서 한 줄로 길게 이어 붙였습니다. 27장을 이어 붙인 종이띠의 전체 길이가 354 cm라면 종이띠를 몇 cm씩 겹치게 이어 붙인 것인지 구해 보시오.

(   )

3 3부터 6까지의 수를 모두 한 번씩만 사용하여 (세 자리 수)×(한 자리 수) 또는 (두 자리 수)×(두 자리 수)의 곱을 구하려고 합니다. 곱이 가장 클 때와 가장 작을 때의 차를 구해 보시오.

(   )

★ 빠른 정답 7쪽, 정답과 풀이 42쪽

Top Book 22~23쪽의 복습 문제입니다.

4 긴 나무 한 개를 16도막으로 자르려고 합니다. 나무를 한 번 자르는 데 7분이 걸리고 한 번 자른 후에는 4분 동안 쉰 다음 다시 자릅니다. 이 나무를 모두 자르는 데 걸리는 시간은 몇 분인지 구해 보시오.

(   )

5 길이가 120 m인 열차가 1분에 847 m씩 가고 있습니다. 이 열차가 터널을 완전히 통과하는 데 4분이 걸렸다면 터널의 길이는 몇 m인지 구해 보시오.

(   )

6 어떤 세 자리 수의 백의 자리 숫자와 십의 자리 숫자를 바꾸어 9를 곱했더니 2547이 되었습니다. 처음 세 자리 수를 구해 보시오.

(   )

● 조건을 만족하는 수 구하기

대표유형 **1** 80보다 크고 100보다 작은 자연수 중에서 7로 나누어떨어지는 수를 모두 구해 보시오.

(   )

● 바르게 계산한 값 구하기

대표유형 **2** 어떤 수를 5로 나누어야 할 것을 잘못하여 6으로 나누었더니 몫이 13, 나머지가 3 이었습니다. 바르게 계산했을 때의 몫과 나머지를 각각 구해 보시오.

몫 (   )

나머지 (   )

● 나눗셈식 완성하기

대표유형 **3** 다음 나눗셈식에서 ☐ 안에 알맞은 수를 써넣으시오.

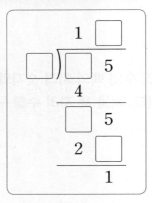

★빠른 정답 7쪽, 정답과 풀이 43쪽

Top Book 30~35쪽의 복습 문제입니다.

• 일정한 간격으로 놓을 때 필요한 물건의 수 구하기

대표유형 4 길이가 234 m인 도로의 한쪽에 처음부터 끝까지 3 m 간격으로 가로등을 세우려고 합니다. 필요한 가로등은 모두 몇 개인지 구해 보시오. (단, 가로등의 두께는 생각하지 않습니다.)

(   )

• 수 카드로 나눗셈식 만들기

대표유형 5 다음 4장의 수 카드 중에서 3장을 뽑아 한 번씩만 사용하여 (몇십몇)÷(몇)의 나눗셈식을 만들려고 합니다. 몫이 가장 클 때의 나눗셈의 몫을 구해 보시오.

| 2 | 3 | 4 | 6 |

(   )

• 적어도 얼마나 더 필요한지 구하기

신유형 6 윤경이는 수제 초콜릿 만들기 동영상을 보고 초콜릿을 175개 만들었습니다. 이 초콜릿을 6상자에 남김없이 똑같이 나누어 담으려고 했더니 몇 개가 부족했습니다. 초콜릿을 적어도 몇 개 더 만들어야 하는지 구해 보시오.

(   )

1 나눗셈식이 나누어떨어질 때, 1부터 9까지의 자연수 중에서 □ 안에 들 어갈 수 있는 수를 모두 구해 보시오.

비법 Note

$$7\square \div 4$$

(   )

2 주머니 안에 흰색 바둑돌이 45개, 검은색 바둑돌이 85개 들어 있습니다. 이 주머니에서 한 번에 최대 8개까지 바둑돌을 꺼내려고 합니다. 바둑돌 을 모두 꺼내려면 적어도 몇 번 꺼내야 하는지 구해 보시오.

(   )

3 길이가 91 cm인 털실을 겹치지 않게 사용하여 한 변이 2 cm인 정사각 형을 몇 개 만들었습니다. 만든 정사각형은 모두 몇 개인지 구해 보시오.

(   )

4 □ 안에 들어갈 수 있는 자연수 중에서 가장 큰 수를 구해 보시오. (단, ★은 0이 아닙니다.)

$$\square \div 5 = 17 \cdots \bigstar$$

(   )

★ 빠른 정답 7쪽, 정답과 풀이 43쪽

5 3장의 수 카드 1 , 5 , 6 을 한 번씩 모두 사용하여 다음과 같은 나눗셈식을 만들려고 합니다. ㉠, ㉡, ㉢에 알맞은 수를 각각 구해 보시오.

비법 Note

$$8㉠ \div ㉡ = 14 \cdots ㉢$$

㉠ (   )

㉡ (   )

㉢ (   )

6 8명이 15일 동안 전체 일의 반을 했습니다. 남은 일을 6명이 하면 며칠이 걸리는지 구해 보시오. (단, 한 명이 하루에 하는 일의 양은 모두 같습니다.)

(   )

7 승재가 가지고 있는 색종이를 친구 6명에게 똑같이 나누어 주면 4장이 남고, 7명에게 똑같이 나누어 주면 5장이 남습니다. 승재가 가지고 있는 색종이가 70장보다 많고 90장보다 적다면 승재가 가지고 있는 색종이는 모두 몇 장인지 구해 보시오.

(   )

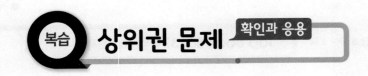

8 길이가 같은 색 테이프 9장을 그림과 같이 2 cm씩 겹쳐서 한 줄로 길게 이어 붙였습니다. 이어 붙인 색 테이프의 전체 길이가 83 cm일 때, 색 테이프 한 장의 길이는 몇 cm인지 구해 보시오.

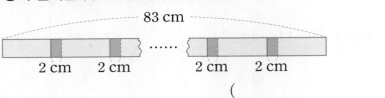

(   )

9 다음과 같은 규칙으로 도형을 놓을 때 157번째에 놓이는 도형을 구해 보시오.

(   )

10 그림과 같이 시각을 나타내는 디지털시계가 있습니다. 42÷6=7이므로 6시 42분은 '분'을 '시'로 나누었을 때 나누어떨어집니다. 이와 같이 오전 4시부터 오전 6시까지 2시간 동안 '분'을 '시'로 나누었을 때 나누어떨어지는 시각은 모두 몇 번 있는지 구해 보시오. (단, 매시 정각은 생각하지 않습니다.)

```
06:42
```

(   )

★ 빠른 정답 7쪽, 정답과 풀이 43쪽 Top Book 38~39쪽의 복습 문제입니다.

창의융합형 문제

11 농구는 5명씩으로 이루어진 두 팀이 공을 상대방의 골대에 넣어 점수를 얻는 경기입니다. 공을 **빨간색 선 밖에서** 던져 성공시키면 3점을 얻고, **빨간색 선 안에서** 던져 성공시키면 2점을 얻고, **파란색 선이 있는 곳에서** 자유투를 던져 성공시키면 1점을 얻습니다. 자유투 없이 54점을 얻으려고 합니다. 공을 모두 **빨간색 선 안에서** 던져 얻으려면 공을 모두 **빨간색 선 밖에서** 던져 얻을 때보다 몇 번을 더 성공시켜야 하는지 구해 보시오.

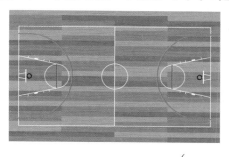

(   )

12 이스트는 발효빵을 만드는 데 없어서는 안 될 중요한 재료입니다. 다음은 어느 식빵을 만드는 데 필요한 밀가루의 양과 이스트의 양입니다. 밀가루를 3컵 사용하고 이스트를 최소 양으로 넣어 식빵 한 개를 만들었고, 이와 같은 식빵을 9개 만들었더니 이스트가 3작은술 남았습니다. 처음에 있던 이스트는 몇 작은술인지 구해 보시오.

• 티스푼으로 떠 세는 단위

밀가루 양(컵)	1	2	3	4
이스트 양(작은술)	1~2	2~3	3~4	4~5

(   )

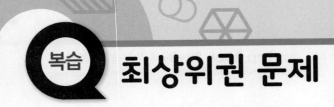

1 다음 조건을 만족하는 두 자리 수를 구해 보시오.

> • 9로 나누어떨어집니다.
> • 4로 나누었을 때 나머지가 3입니다.
> • 일의 자리 수는 십의 자리 수보다 작습니다.

(   )

2 통나무를 쉬지 않고 6토막으로 자르는 데 1시간 5분이 걸립니다. 통나무를 한 번 자르고 나서 6분씩 쉰다면 통나무를 10토막으로 자르는 데에는 모두 몇 시간 몇 분이 걸리는지 구해 보시오. (단, 통나무를 한 번 자르는 데 걸리는 시간은 모두 같습니다.)

(   )

3 6으로 나누면 나머지가 4가 되는 두 자리 수와 8로 나누면 나머지가 7이 되는 두 자리 수는 모두 몇 개인지 구해 보시오.

(   )

★빠른 정답 7쪽, 정답과 풀이 44쪽 Top Book **40~41**쪽의 복습 문제입니다.

4 같은 지점에서 트럭이 먼저 출발하여 90 km를 간 후 승용차가 따라서 출발하였습니다. 트럭은 10분에 12 km씩 가고 승용차는 10분에 15 km씩 간다고 합니다. 트럭과 승용차가 만나는 것은 승용차가 출발한 지 몇 시간 후인지 구해 보시오. (단, 트럭과 승용차의 길이는 생각하지 않습니다.)

(   )

5 세 변의 길이가 모두 같고 세 변의 길이의 합이 72 cm인 삼각형을 다음과 같은 규칙으로 선을 그어 크기가 같은 삼각형이 여러 개가 되도록 만들었습니다. 만들어진 삼각형은 각각 세 변의 길이가 모두 같을 때, 8번째에 만든 가장 작은 삼각형 한 개의 세 변의 길이의 합은 몇 cm인지 구해 보시오.

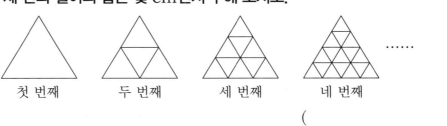

첫 번째   두 번째   세 번째   네 번째

(   )

6 운동장에 한 변이 64 m인 정사각형 모양의 선을 긋고 그 위에 4 m 간격으로 파란색 깃발을 꽂은 다음, 파란색 깃발 사이에 흰색 깃발을 2개씩 꽂으려고 합니다. 정사각형의 네 꼭짓점에 모두 파란색 깃발을 꽂는다면 파란색 깃발과 흰색 깃발은 모두 몇 개 꽂을 수 있는지 구해 보시오.

(   )

• 원의 중심의 개수 구하기

대표유형 1 오른쪽과 같은 모양을 그릴 때 원의 중심은 모두 몇 개인지 구해 보시오.

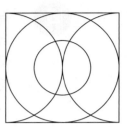

( )

• 선분의 길이 구하기

대표유형 2 오른쪽 그림에서 각 점은 원의 중심입니다. 선분 ㄱㄴ은 몇 cm인지 구해 보시오.

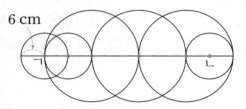

6 cm

( )

• 삼각형의 세 변의 길이의 합 구하기

대표유형 3 오른쪽 그림과 같이 지름이 18 cm인 원 3개를 서로 원의 중심이 지나도록 겹치게 그려서 삼각형을 만들었습니다. 삼각형 ㄱㄴㄷ의 세 변의 길이의 합은 몇 cm인지 구해 보시오.

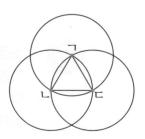

( )

★ 빠른 정답 7쪽, 정답과 풀이 46쪽

● 크기가 같은 작은 원의 반지름 구하기

대표유형 4 오른쪽 그림과 같이 큰 원 안에 크기가 같은 작은 원 3개를 겹치지 않도록 맞닿게 그렸습니다. 큰 원의 지름이 42 cm라면 작은 원의 반지름은 몇 cm인지 구해 보시오.

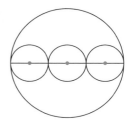

(   )

● 규칙에 따라 원을 그릴 때 ■번째 원의 지름 구하기

대표유형 5 오른쪽 그림과 같이 원의 중심을 같게 하고, 반지름을 일정하게 늘려 가며 원을 그리고 있습니다. 규칙에 따라 원을 그릴 때 5번째 원의 지름은 몇 cm인지 구해 보시오.

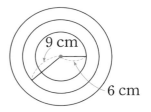

9 cm

6 cm

(   )

● 물건의 지름 또는 반지름 구하기

신유형 6 그림과 같이 상자에 원 모양의 접시 6개가 들어 있습니다. 상자의 네 변의 길이의 합이 90 cm일 때 접시의 지름은 몇 cm인지 구해 보시오. (단, 상자의 두께는 생각하지 않습니다.)

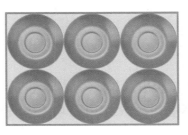

(   )

1 오른쪽 그림에서 가장 큰 원의 반지름이 24 cm라면 가장 작은 원의 반지름은 몇 cm인지 구해 보시오.

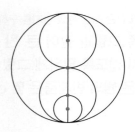

비법 Note

( )

2 오른쪽 그림에서 삼각형 ㅇㄱㄴ의 세 변의 길이의 합은 29 cm입니다. 원의 지름은 몇 cm인지 구해 보시오.

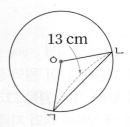

13 cm

( )

3 오른쪽 그림과 같이 큰 원 안에 크기가 같은 작은 원 4개를 겹치지 않도록 맞닿게 그렸습니다. 큰 원의 지름이 32 cm라면 큰 원의 반지름과 작은 원의 반지름의 차는 몇 cm인지 구해 보시오.

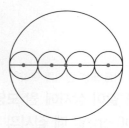

( )

4 크기가 다른 두 원 가, 나가 있습니다. 가 원의 반지름은 나 원의 반지름의 3배입니다. 가 원의 지름이 54 cm라면 나 원의 반지름은 몇 cm인지 구해 보시오.

( )

★ 빠른 정답 7쪽, 정답과 풀이 46쪽

Top Book 54~55쪽의 복습 문제입니다.

5 오른쪽 그림과 같이 원 3개를 겹치지 않도록 맞닿게 그려서 삼각형을 만들었습니다. 삼각형 ㄱㄴㄷ의 세 변의 길이의 합은 몇 cm인지 구해 보시오.

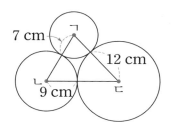

(   )

비법 Note

6 오른쪽 그림과 같이 직사각형 안에 크기가 같은 원 4개를 서로 원의 중심이 지나도록 겹치게 그려서 사각형 3개를 만들었습니다. 색칠한 사각형 3개의 모든 변의 길이의 합은 몇 cm인지 구해 보시오.

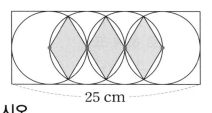

(   )

7 그림과 같이 직사각형 안에 큰 원과 작은 원을 겹치지 않도록 맞닿게 그렸습니다. 큰 원 2개의 지름과 작은 원 3개의 지름이 각각 같을 때 선분 ㄱㄴ은 몇 cm인지 구해 보시오.

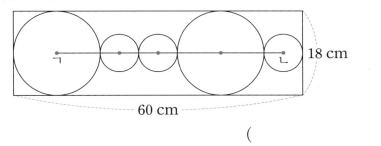

(   )

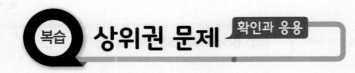

8 오른쪽 그림과 같이 큰 원 안에 크기가 같은 작은 원 3개를 겹쳐서 그렸습니다. 큰 원의 반지름이 15 cm라면 작은 원의 반지름은 몇 cm인지 구해 보시오.

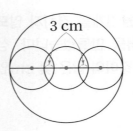

(   )

비법 Note

9 오른쪽 그림과 같이 직사각형 안에 점 ㄴ, 점 ㄷ을 각각 원의 중심으로 하여 크기가 같은 원의 일부분을 2개 그렸습니다. 이때 만들어지는 삼각형 ㄱㄴㄷ의 세 변의 길이의 합은 몇 cm인지 구해 보시오.

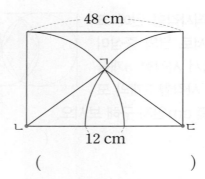

(   )

10 오른쪽 그림과 같이 직사각형 안에 점 ㄱ, ㄴ, ㄷ, ㄹ을 각각 원의 중심으로 하여 원의 일부분을 4개 그렸습니다. 점 ㄱ을 원의 중심으로 하는 원의 반지름은 점 ㄹ을 원의 중심으로 하는 원의 반지름의 2배보다 2 cm 더 깁니다. 점 ㄴ을 원의 중심으로 하는 원의 반지름은 몇 cm인지 구해 보시오.

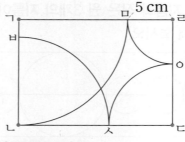

(   )

창의융합형 문제

11 오른쪽은 컬링 경기장의 표적으로 원의 중심이 같은 4개의 원으로 이루어져 있습니다. 이 중 안쪽의 가장 작은 원을 티(tee)라고 하는데 티 다음으로 작은 원의 반지름은 61 cm이고 이후 원이 커질 때마다 반지름이 61 cm씩 늘어난다면 가장 큰 원의 지름은 몇 cm인지 구해 보시오.

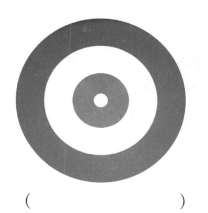

(   )

창의융합 PLUS ➕

⭕ **컬링**

컬링은 일반적으로 각각 4명의 선수로 구성된 두 팀이 얼음판에서 둥글고 납작한 돌을 미끄러뜨려 표적 안에 넣어 점수를 얻는 경기입니다. 이때 표적의 중심에 최대한 가까이 돌을 올려놓은 팀이 승리합니다.

12 수막새는 목조 건축 지붕의 기왓골 끝에 사용되었던 기와입니다. 다음과 같이 반지름이 4 cm인 원 모양의 수막새를 이용하여 가로가 56 cm, 세로가 32 cm인 직사각형 모양의 점토 판에 서로 겹치지 않게 무늬를 찍으려고 합니다. 수막새의 무늬는 몇 개까지 찍을 수 있는지 구해 보시오.

(   )

⭕ **수막새의 무늬**

수막새의 무늬는 시대에 따라 변화된 모습을 보여 주므로 수막새의 무늬를 통해 지금은 터만 남은 절이나 건물의 건축 시기를 추정할 수 있습니다.

1 오른쪽 그림과 같이 직사각형 안에 크기가 같은 원 3개를 서로 원의 중심이 지나도록 겹쳐서 그렸습니다. 삼각형 ㄱㄴㄷ의 세 변의 길이의 합은 몇 cm인지 구해 보시오.

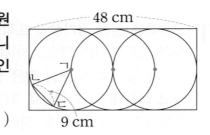

(   )

2 그림과 같이 지름이 12 cm인 원 여러 개를 서로 원의 중심이 지나도록 겹쳐서 그렸습니다. 선분 ㄱㄴ이 78 cm라면 그린 원은 모두 몇 개인지 구해 보시오.

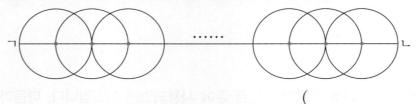

(   )

3 직사각형 안에 반지름이 7 cm인 원 24개를 그림과 같은 규칙으로 그렸더니 직사각형에 꼭 맞게 그려졌습니다. 직사각형의 가로는 몇 cm인지 구해 보시오.

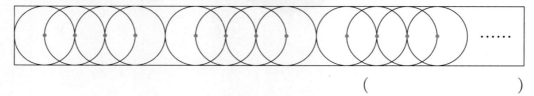

(   )

★빠른 정답 7쪽, 정답과 풀이 47쪽

4 오른쪽 그림과 같이 가로가 44 cm이고, 세로가 28 cm인 직사각형의 둘레에 지름이 4 cm인 원을 겹치지 않게 이어 붙였습니다. 이때 원의 중심을 이어서 만든 직사각형의 네 변의 길이의 합은 몇 cm인지 구해 보시오.

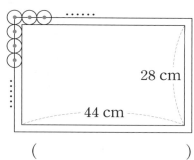

(   )

5 그림과 같이 반지름이 2 cm인 원을 그리고 바깥쪽에 있는 원의 중심을 이어 사각형을 만들고 있습니다. 사각형의 네 변의 길이의 합이 80 cm라면 그린 원은 모두 몇 개인지 구해 보시오.

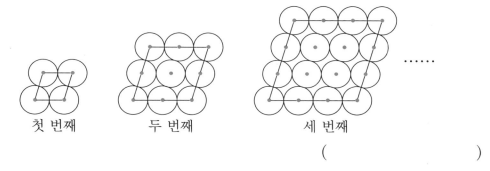

첫 번째   두 번째   세 번째

(   )

6 크기가 같은 원 모양의 고리 8개를 엮어서 그림과 같이 연결했습니다. 선분 ㄱㄴ이 84 cm라면 고리의 바깥쪽 반지름은 몇 cm인지 구해 보시오.

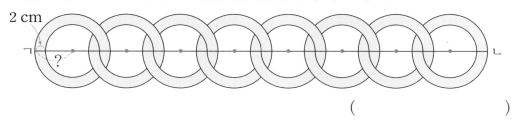

(   )

• 분수만큼은 얼마인지 구하기

대표유형 **1** 소시지가 24개 있습니다. 윤호에게 24개의 $\frac{3}{8}$ 만큼을 주었고, 준서에게 24개의 $\frac{1}{6}$ 만큼을 주었습니다. 남은 소시지는 몇 개인지 구해 보시오.

( )

• 어떤 수의 분수만큼은 얼마인지 구하기

대표유형 **2** 어떤 수의 $\frac{4}{5}$ 는 48입니다. 어떤 수의 $\frac{1}{4}$ 은 얼마인지 구해 보시오.

( )

• □ 안에 들어갈 수 있는 수 구하기

대표유형 **3** □ 안에 들어갈 수 있는 자연수를 모두 구해 보시오.

$$\frac{40}{7} > 5\frac{\square}{7}$$

( )

★빠른 정답 8쪽, 정답과 풀이 48쪽

● 수 카드로 조건에 알맞은 분수 만들기

대표유형 4 3장의 수 카드를 한 번씩만 사용하여 만들 수 있는 진분수는 모두 몇 개인지 구해 보시오.

2 3 7

(   )

● 분모와 분자의 합과 차를 이용하여 알맞은 분수 구하기

대표유형 5 분모와 분자의 합이 19이고 차가 5인 진분수를 구해 보시오.

(   )

● 색종이의 양을 분수로 나타내기

신유형 6 그림에서 ①은 색종이 한 장의 $\frac{1}{8}$, ②는 $\frac{1}{4}$, ③은 $\frac{1}{2}$입니다. 주어진 모양을 덮기 위해 필요한 색종이는 색종이 한 장의 얼마만큼인지 가분수로 나타내어 보시오.

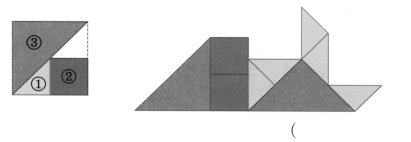

(   )

1 분모가 12인 어떤 대분수를 가분수로 나타내면 분모와 분자의 합이 67입니다. 어떤 대분수를 구해 보시오.

( )

2 두 수 사이에 있는 자연수의 합을 구해 보시오.

$$\frac{31}{9} \qquad \frac{33}{4}$$

( )

3 철사가 91 cm 있습니다. 91 cm의 $\frac{2}{7}$만큼을 윤호에게, 91 cm의 $\frac{5}{13}$만큼을 영주에게 주고 나머지는 현태가 가졌습니다. 누가 가진 철사가 가장 짧은지 구해 보시오.

( )

4 두 분수의 분모가 같을 때 ☐ 안에 알맞은 수를 구해 보시오.

$$6\frac{4}{\square} = \frac{46}{\square}$$

( )

★ 빠른 정답 8쪽, 정답과 풀이 48쪽

5 윤재는 색종이 72장을 한 묶음에 8장씩 묶었습니다. 그중 몇 묶음을 게시판을 꾸미는 데에 사용했더니 남은 색종이가 40장이었습니다. 윤재가 게시판을 꾸미는 데에 사용한 색종이는 전체 묶음의 몇 분의 몇인지 구해 보시오.

( )

비법 Note

6 어떤 수의 $\frac{3}{7}$ 은 18입니다. 어떤 수의 $2\frac{2}{3}$ 는 얼마인지 구해 보시오.

( )

7 어떤 가분수의 분모와 분자의 합은 18이고 차는 8입니다. 이 가분수와 분모가 같으면서 이 가분수보다 크고 4보다 작은 가분수를 모두 구해 보시오.

( )

비법 Note

8 바닥에 닿으면 떨어뜨린 높이의 $\dfrac{3}{4}$만큼 튀어 오르는 공이 있습니다. 이 공을 64 m의 높이에서 떨어뜨렸을 때 세 번째로 튀어 오른 공의 높이는 몇 m인지 구해 보시오.

(   )

9 일정한 빠르기로 물이 나오는 수도가 있습니다. 이 수도를 틀어 빈 물통에 30분 동안 물을 받은 뒤 받은 물의 높이를 재어 보니 물통의 높이의 $\dfrac{3}{8}$이 비었습니다. 물통을 가득 채우려면 앞으로 몇 분 더 걸리는지 구해 보시오. (단, 물통의 바닥 두께는 생각하지 않습니다.)

(   )

10 자연수 ㉠과 ㉡이 다음 조건을 만족할 때 $\dfrac{㉠}{㉡}$이 가분수가 되는 경우는 모두 몇 가지인지 구해 보시오.

| $6 < ㉠ < 11$ $5 < ㉡ < 10$ |

(   )

창의융합형 문제

11 덕유산 국립 공원의 탐방 안내도입니다. ㉠에서 ㉣까지의 각 구간 중 두 번째로 짧은 구간을 찾아 기호를 써 보시오.

㉠ 인월담~금포탄: $\dfrac{17}{12}$ km

㉡ 금포탄~백련사: $3\dfrac{1}{12}$ km

㉢ 백련사~오수자굴: $2\dfrac{11}{12}$ km

㉣ 오수자굴~향적봉: $\dfrac{30}{12}$ km

(   )

창의융합 PLUS ✚

○ 덕유산

덕유산은 전라북도 무주군과 장수군, 경상남도 거창군과 함양군 등 2개도 4개 군에 걸쳐 솟아 있으며, 해발 1614 m의 향적봉을 정상으로 하여 백두대간의 한 줄기를 이루고 있습니다. 덕이 많은 산이라 해서 덕유산이라고 불립니다.

12 현재까지 남아 있는 천문대 중 가장 오래된 경주 첨성대는 기단부, 원주부, 정자형 두부로 나누어집니다. 기단부의 높이는 전체 높이의 약 $\dfrac{4}{45}$로 약 80 cm입니다. 기단부를 제외한 나머지 부분의 높이는 약 몇 cm인지 구해 보시오.

(   )

정자형 두부

원주부

기단부

▲ 첨성대

○ 첨성대

국보 제31호인 첨성대는 신라 선덕여왕 때 만들어진 천문 관측대입니다.

가운데 창문의 위와 아래에 돌이 각각 12단씩 쌓여 있는데 이는 12개월과 24절기를 의미하고, 창문을 통해 첨성대로 들어온 빛이 바닥을 비추는 것으로 춘분·추분·동지·하지를 알 수 있다고 합니다.

1 자연수 ㉠과 ㉡이 다음 조건을 만족할 때 ㉡이 될 수 있는 수를 모두 구해 보시오.

$$㉠\frac{4}{9} = \frac{㉡}{9} \qquad 3 < ㉠ < 8$$

( )

2 다음 조건을 만족하는 세 가분수 ㉮, ㉯, ㉰를 각각 구해 보시오.

- 세 가분수의 분모는 모두 13입니다.
- 세 가분수의 분자의 합은 49입니다.
- 세 가분수의 분자는 ㉮가 ㉯보다 4 작고, ㉰가 ㉯보다 1 작습니다.

㉮ ( ), ㉯ ( ), ㉰ ( )

3 오른쪽과 같은 분수가 있습니다. ㉠과 ㉡에 2부터 9까지의 자연수가 들어갈 수 있을 때 만들 수 있는 분수 중에서 가장 작은 분수를 구해 보시오. (단, ㉠ > ㉡입니다.)

$$\frac{㉠-㉡}{㉠+㉡}$$

( )

4 규칙에 따라 수를 늘어놓은 것입니다. 48번째에 놓일 분수를 가분수로 나타내어 보시오.

$$2,\ 1\frac{1}{2},\ 2,\ 1\frac{1}{3},\ 1\frac{2}{3},\ 2,\ 1\frac{1}{4},\ 1\frac{2}{4},\ 1\frac{3}{4},\ 2\cdots\cdots$$

(　　　　　　　　　)

5 어느 무료 급식소에서 만둣국을 만들어 나누어 주었는데 점심시간에는 오전에 만든 만두의 $\frac{5}{7}$만큼을 사용했고, 저녁 시간에는 점심시간에 사용하고 남은 만두와 오후에 만든 만두 96개를 모두 사용했습니다. 점심시간에 사용한 만두의 수와 저녁 시간에 사용한 만두의 수가 같을 때 오전에 만든 만두는 몇 개인지 구해 보시오.

(　　　　　　　　　)

6 바닥에 닿으면 떨어뜨린 높이의 $\frac{3}{4}$만큼 튀어 오르는 공이 있습니다. 오른쪽과 같이 ㉮에서 공을 떨어뜨렸더니 두 번째로 튀어 오른 공과 바닥 ㉢ 사이의 거리가 18 cm였습니다. 처음에 떨어뜨린 공과 바닥 ㉯ 사이의 거리는 몇 cm인지 구해 보시오.

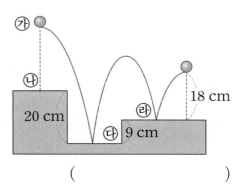

(　　　　　　　　　)

● 덜어 내거나 부어야 하는 횟수 구하기

대표유형 **1**
물통에 가득 채워진 물을 가 그릇에 가득 담아 18번 덜어 내면 물이 남지 않습니다. 나 그릇의 들이가 가 그릇의 들이의 3배일 때, 똑같은 물통에 물을 가득 채운 다음 나 그릇에 가득 담아 모두 덜어 내려면 몇 번 덜어 내야 하는지 구해 보시오.

(   )

● 무게의 계산을 이용하여 문제 해결하기

대표유형 **2**
혜수는 주말 농장에서 고구마를 캤습니다. 고구마를 어제는 12 kg 500 g 캤고, 오늘은 어제보다 3 kg 640 g 더 적게 캤습니다. 혜수가 어제와 오늘 캔 고구마는 모두 몇 kg 몇 g인지 구해 보시오.

(   )

● 들이의 계산을 이용하여 문제 해결하기

대표유형 **3**
9 L의 물이 들어 있는 양동이에서 들이가 250 mL인 컵으로 물을 가득 담아 7번 덜어 내고, 들이가 400 mL인 컵으로 물을 가득 담아 4번 덜어 냈습니다. 양동이에 남아 있는 물은 몇 L 몇 mL인지 구해 보시오.

(   )

● 빈 바구니의 무게 구하기

대표유형 **4**
빈 상자에 무게가 같은 야구공 5개를 담은 후 무게를 재어 보니 3 kg 700 g이었습니다. 그중에서 야구공 2개를 뺀 후 다시 무게를 재어 보니 2 kg 400 g이었습니다. 빈 상자의 무게는 몇 g인지 구해 보시오.

(   )

★ 빠른 정답 8쪽, 정답과 풀이 51쪽

• 두 그릇에 담긴 물의 양을 같게 하기

대표유형 5

물이 ㉮ 물통에는 9 L 800 mL 들어 있고, ㉯ 물통에는 13 L 들어 있습니다. 두 물통에 들어 있는 물의 양을 같게 하려면 ㉯ 물통에서 ㉮ 물통으로 물을 몇 L 몇 mL 옮기면 되는지 구해 보시오.

(   )

• 저울의 수평을 이용하여 무게 구하기

대표유형 6

감 1개의 무게가 200 g일 때, 자두 1개의 무게는 몇 g인지 구해 보시오. (단, 감, 바나나, 자두의 무게는 각각 같습니다.)

감 3개   바나나 4개   바나나 5개   자두 6개

(   )

• 물을 가득 채우는 데 걸리는 시간 구하기

대표유형 7

1초에 240 mL씩 물이 나오는 수도가 있습니다. 1초에 40 mL씩 물이 새는 들이가 6 L인 빈 통에 이 수도에서 나오는 물을 받으려고 합니다. 통에 물을 가득 채우려면 몇 초가 걸리는지 구해 보시오.

(   )

• 추와 윗접시저울로 무게를 잴 수 없는 물건 찾기

신유형 8

무게가 250 g, 400 g인 추가 각각 1개씩 있습니다. 이 추와 윗접시저울을 사용하여 다음 물건의 무게를 잴 때, 무게를 잴 수 <u>없는</u> 물건은 어느 것인지 구해 보시오.

가위 150 g   수첩 500 g   필통 650 g

(   )

1 냄비, 양동이, 주전자에 물을 가득 채운 후 똑같은 그릇에 각각 옮겨 담았더니 가득 찬 그릇의 수가 냄비는 11개가 되었고 양동이는 냄비보다 2개 더 많았으며 주전자는 양동이보다 4개 더 적었습니다. 냄비, 양동이, 주전자 중에서 들이가 가장 적은 것은 어느 것인지 구해 보시오.

( )

2 처음 주전자에 들어 있던 식혜의 절반을 승우가 마시고, 나머지의 절반을 누나가 마셨더니 380 mL가 남았습니다. 처음 주전자에 들어 있던 식혜는 몇 L 몇 mL인지 구해 보시오.

( )

3 여행 가방의 무게는 책가방의 무게의 2배보다 1 kg 700 g 더 가볍습니다. 책가방의 무게가 4 kg 600 g일 때, 여행 가방의 무게는 몇 kg 몇 g인지 구해 보시오.

( )

4 우유가 3 L 50 mL 있었습니다. 이 중에서 연수가 700 mL를 마셨고, 재욱이는 연수보다 120 mL 더 적게 마셨습니다. 두 사람이 마시고 남은 우유는 몇 L 몇 mL인지 구해 보시오.

( )

★ 빠른 정답 8쪽, 정답과 풀이 51쪽

Top Book 92~93쪽의 복습 문제입니다.

5 지호네 마을 세 염전에서 생산한 소금을 트럭으로 모두 운반하려면 2 t까지 운반할 수 있는 트럭이 적어도 몇 대 필요한지 구해 보시오.

소금 생산량

염전	㉮ 염전	㉯ 염전	㉰ 염전
생산량(kg)	5310	4600	5090

(   )

6 공동으로 구매한 소고기 16 kg 400 g을 현수네 집과 민아네 집이 나누어 가지려고 합니다. 현수네 집이 민아네 집보다 1800 g 더 많이 가져간다고 할 때, 현수네 집이 가져가는 소고기는 몇 kg 몇 g인지 구해 보시오.

(   )

7 물이 ㉮ 수조에는 4 L 900 mL 들어 있고, ㉯ 수조에는 5 L 100 mL 들어 있었는데 ㉮ 수조에는 물을 900 mL 더 붓고, ㉯ 수조에서는 물을 600 mL 덜어 냈습니다. 두 수조에 들어 있는 물의 양을 같게 하려면 ㉮ 수조에서 ㉯ 수조로 물을 몇 mL 옮기면 되는지 구해 보시오.

(   )

비법 Note

8 들이가 8 L인 빈 어항에 물을 들이가 350 mL인 컵으로 가득 담아 2번 붓고, 들이가 500 mL인 컵으로 가득 담아 5번 부었습니다. 이 어항에 물을 가득 채우려면 들이가 600 mL인 컵으로 적어도 몇 번 더 부어야 하는지 구해 보시오.

(   )

비법 Note

9 윗접시저울에 올려진 공 ㉠, ㉡, ㉢, ㉣의 무게는 서로 다르고 10 g, 20 g, 30 g, 40 g 중 하나입니다. 공 ㉠, ㉡, ㉢, ㉣의 무게를 각각 구해 빈칸에 알맞은 수를 써넣으시오.

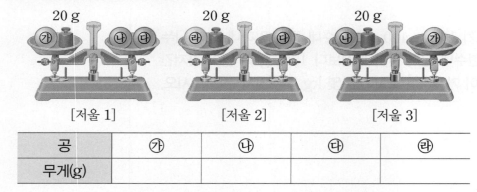

[저울 1]   [저울 2]   [저울 3]

공	㉠	㉡	㉢	㉣
무게(g)				

10 다음을 읽고 양파 1개의 무게는 몇 g인지 구해 보시오. (단, 양파, 감자, 호박의 무게는 각각 같습니다.)

- 양파 4개와 감자 3개의 무게는 같습니다.
- 감자 5개와 호박 2개의 무게는 같습니다.
- 감자 5개와 호박 5개의 무게의 합은 3500 g입니다.

(   )

★ 빠른 정답 8쪽, 정답과 풀이 51쪽

Top Book 94~95쪽의 복습 문제입니다.

창의융합형 문제

11 추석은 우리나라 명절 중 하나로 일 년 중 가장 큰 보름달이 뜨는 날입니다. 설날에 떡국을 만들어 먹듯이 추석에는 송편을 만들어 먹는 풍습이 있습니다. 다음은 멥쌀가루 1 kg으로 송편을 만드는 데 필요한 재료입니다. 멥쌀가루 4 kg 500 g으로 송편을 만드는 데 필요한 삶은 고구마는 몇 kg 몇 g인지 구해 보시오.

〈송편 반죽 재료〉	〈송편소 재료〉
멥쌀가루 1 kg, 뜨거운 물 200 mL, 참기름 30 mL, 소금 등	삶은 고구마 250 g, 삶은 팥 250 g, 볶은 깨 35 g, 설탕 30 g

(   )

창의융합 PLUS +

◉ 추석
음력 8월 15일로 가을의 한가운데 달이며 또한 팔월의 한가운데 날이라는 뜻으로 한가위라고도 합니다. 추석에는 가을걷이를 기념하여 갖가지 음식을 만들어 먹고, 강강술래, 줄다리기, 소싸움 등의 놀이를 합니다.

12 우리 조상들이 쓰던 들이의 단위에는 홉, 되 등이 있으며 지금도 방앗간에서는 이 단위를 사용하고 있습니다. 홉, 되를 mL와 L를 사용하여 나타내면 1홉은 180 mL, 1되는 1 L 800 mL입니다. 다음은 주희 어머니께서 시장에서 사신 물건과 들이를 나타낸 것입니다. 주희 어머니께서 사신 물건은 모두 몇 L 몇 mL인지 구해 보시오.

물건	참기름	간장
들이	4홉	2되

(   )

◉ 홉, 되
홉은 한 줌의 양으로 되의 $\frac{1}{10}$의 양이고, 되는 두 손으로 움켜잡은 양입니다.
⇨ 1되=10홉

1 진호와 수현이의 몸무게의 합은 69 kg 700 g이고, 수현이와 영아의 몸무게의 합은 66 kg 50 g, 영아와 진호의 몸무게의 합은 68 kg 250 g입니다. 세 사람의 몸무게의 합은 몇 kg인지 구해 보시오.

(   )

2 할머니께서 참기름을 짜서 ㉮, ㉯, ㉰ 세 병에 모두 나누어 담았습니다. ㉯ 병에 담은 참기름은 ㉮ 병에 담은 참기름보다 300 mL 더 적고, ㉰ 병에 담은 참기름보다 550 mL 더 많습니다. 할머니께서 짠 참기름이 모두 2 L 150 mL일 때, ㉯ 병에 담은 참기름은 몇 mL인지 구해 보시오.

(   )

3 어느 택배 회사에서는 무게에 따라 요금을 받고 있습니다. 택배 상자 한 개당 4 kg까지는 3500원의 기본요금을 내고, 500 g이 추가될 때마다 600원씩 추가 요금을 내야 한다고 합니다. 정아가 이 택배 회사를 이용하여 택배 상자 한 개를 보내는 데 5300원의 요금을 냈다면 정아가 보낸 택배 상자는 몇 kg 몇 g인지 구해 보시오. (단, 상자의 무게는 500 g씩 늘어납니다.)

(   )

★ 빠른 정답 8쪽, 정답과 풀이 53쪽

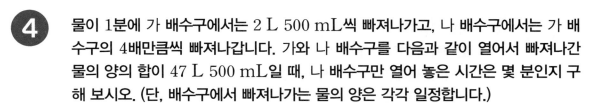

Top Book 96~97쪽의 복습 문제입니다.

4 물이 1분에 가 배수구에서는 2 L 500 mL씩 빠져나가고, 나 배수구에서는 가 배수구의 4배만큼씩 빠져나갑니다. 가와 나 배수구를 다음과 같이 열어서 빠져나간 물의 양의 합이 47 L 500 mL일 때, 나 배수구만 열어 놓은 시간은 몇 분인지 구해 보시오. (단, 배수구에서 빠져나가는 물의 양은 각각 일정합니다.)

가 배수구만 열어 놓은 시간	가와 나 배수구를 모두 열어 놓은 시간	나 배수구만 열어 놓은 시간
2분	1분	

(   )

5 생수통에 물 4 L가 들어 있습니다. 그중에서 민수가 전체의 $\frac{1}{5}$만큼을 가져가고, 성연이는 민수가 가져가고 남은 물의 $\frac{1}{8}$만큼을, 용혁이는 민수와 성연이가 가져가고 남은 물의 $\frac{1}{7}$만큼을 가져갔습니다. 생수통에 남은 물은 몇 L 몇 mL인지 구해 보시오.

(   )

6 1 g, 5 g, 10 g, 15 g, 20 g짜리 추가 각각 30개씩 있습니다. 윗접시저울의 한쪽에만 추를 올려 20 g인 물건의 무게를 재는 방법은 모두 몇 가지인지 구해 보시오.

(   )

• 그림그래프 항목의 합 또는 차 구하기

대표유형 ① 어느 가게의 종류별 빵 판매량을 조사하여 그림그래프로 나타내었습니다. 판매량이 가장 많은 빵과 가장 적은 빵의 판매량의 차는 몇 개인지 구해 보시오.

종류별 빵 판매량

종류	빵 판매량
단팥빵	🍞🍞🍞🍞🍞🍞
크림빵	🍞🍞🍞🍞🍞
식빵	🍞🍞🍞🍞
마늘빵	🍞🍞🍞🍞🍞🍞

🍞 10개
🍞 1개

(   )

• 그림이 나타내는 수를 모를 때 항목의 수 구하기

대표유형 ② 예서네 아파트의 동별 비치된 소화기 수를 조사하여 그림그래프로 나타내었습니다. 103동에 비치된 소화기가 54대라면 101동에 비치된 소화기는 몇 대인지 구해 보시오. (단, 큰 그림이 나타내는 수는 작은 그림이 나타내는 수의 10배입니다.)

동별 비치된 소화기 수

동	소화기 수
101동	🧯🧯🧯🧯 🧯🧯🧯🧯🧯🧯
102동	🧯🧯🧯🧯 🧯🧯🧯
103동	🧯🧯🧯🧯 🧯🧯🧯

(   )

• 그림그래프를 보고 금액 구하기

대표유형 ③ 지역 사회 후원을 위해 모은 날짜별 마트 영수증의 수를 조사하여 그림그래프로 나타내었습니다. 영수증 한 장당 5원씩 후원이 됩니다. 4일 동안 모은 영수증 후원금은 모두 얼마인지 구해 보시오.

날짜별 영수증 수

날짜	영수증 수
10일	📄📄📄📄📄
11일	📄📄📄📄📄📄📄📄
12일	📄📄📄📄📄
13일	📄📄📄

📄 100장
📄 10장

(   )

★ 빠른 정답 8쪽, 정답과 풀이 54쪽 **Top Book 102~107쪽의 복습 문제입니다.**

● 조사한 내용을 보고 표 완성하기

대표유형 4

동우네 학교 3학년 학생들이 배우고 싶은 전통 악기를 조사하였습니다. 조사한 내용을 보고 표를 완성해 보시오.

- 가야금을 배우고 싶은 여학생 수는 대금을 배우고 싶은 여학생 수의 3배입니다.
- 태평소를 배우고 싶은 남녀 학생 수의 합은 거문고를 배우고 싶은 남녀 학생 수의 합과 같습니다.

학생들이 배우고 싶은 전통 악기

악기	가야금	거문고	대금	태평소	합계
남학생 수(명)	13	10	14		
여학생 수(명)		14	9	6	

● 모르는 항목의 수를 구하여 그림그래프 완성하기

대표유형 5

어느 아이스크림 가게에서 하루 동안 팔린 아이스크림 수를 조사하여 그림그래프로 나타내었습니다. 팔린 딸기 맛 아이스크림의 수는 초콜릿 맛 아이스크림의 수보다 3개 더 많고 팔린 아이스크림은 모두 63개입니다. 그림그래프를 완성해 보시오.

팔린 아이스크림 수

종류	아이스크림 수
멜론 맛	🍦🍦🍦🍦🍦
딸기 맛	
녹차 맛	🍨🍨🍨🍨🍨🍨🍨🍨
초콜릿 맛	

🍦 10개
🍨 1개

● 그림그래프와 약도를 보고 문제 해결하기

신유형 6

목장별 치즈 생산량을 조사하여 나타낸 그림그래프와 목장의 약도입니다. 철로의 남쪽에 있는 목장의 치즈 생산량과 강의 동쪽에 있는 목장의 치즈 생산량이 같을 때, ㉯ 목장의 치즈 생산량은 몇 kg인지 구해 보시오.

목장별 치즈 생산량

목장	치즈 생산량
㉮	🧀🧀🧀🧀🧀🧀
㉯	
㉰	🧀🧀🧀
㉱	🧀🧀🧀🧀🧀🧀🧀🧀
㉲	🧀🧀🧀🧀🧀🧀🧀

🧀 100 kg
🔵 10 kg

(   )

1 윤경이네 모둠 학생들이 모은 칭찬 붙임 딱지 수를 조사하여 그림그래프로 나타내었습니다. 가장 많이 모은 학생과 가장 적게 모은 학생의 칭찬 붙임 딱지 수의 합은 몇 장인지 구해 보시오.

(   )

학생들이 모은 칭찬 붙임 딱지 수

이름	칭찬 붙임 딱지 수
윤경	☺☺☺☺ ☺☺
재하	☺☺ ☺☺☺☺☺☺
석호	☺☺☺
소민	☺☺☺ ☺☺☺☺

☺ 10장
☺ 1장

2 공원에 있는 종류별 나무 수를 조사하여 표와 그림그래프로 나타내었습니다. 표와 그림그래프를 완성해 보시오.

종류별 나무 수

종류	참나무	소나무	단풍나무	은행나무	합계
나무 수(그루)	14				56

종류별 나무 수

종류	참나무	소나무	단풍나무	은행나무
나무 수			◎◎ ○	◎ ○○○

◎ 10그루
○ 1그루

3 지현이네 학교의 학년별 학생 수를 조사하여 그림그래프로 나타내었습니다. 1, 2, 3학년 학생 한 명에게 공책을 4권씩 나누어 준다면 필요한 공책은 모두 몇 권인지 구해 보시오.

학년별 학생 수

학년	학생 수
1학년	😊 😊😊😊😊
2학년	😊😊 😊😊😊😊
3학년	😊 😊😊😊😊😊

😊 100명
😊 10명

(   )

4 목장별 우유 생산량을 조사하여 그림그래프로 나타내었습니다. 전체 우유 생산량이 1070 kg일 때, 우유 생산량이 적은 목장부터 순서대로 써 보시오.

비법 Note

목장별 우유 생산량

목장	아침	신선	튼튼	가람
우유 생산량	🍶🍶🍶 🍶🍶🍶	🍶🍶🍶 🍶🍶		🍶🍶🍶 🍶🍶🍶🍶

🍶 100 kg
🍶 10 kg

(   )

5 어느 문구점의 색깔별 색종이 판매량을 조사하여 그림그래프로 나타내었습니다. 색종이 한 장의 값은 60원입니다. 가장 많이 팔린 색깔과 두 번째로 적게 팔린 색깔의 색종이 값의 차는 얼마인지 구해 보시오.

(   )

색깔별 색종이 판매량

색깔	색종이 판매량
분홍색	⬜⬜ ⬜⬜⬜
노란색	⬜⬜⬜⬜ ⬜
하늘색	⬜ ⬜⬜⬜⬜
흰색	⬜⬜ ⬜⬜⬜⬜

⬜ 10장
⬜ 1장

[6~7] 준희와 친구들이 빚은 송편 수를 두 가지 그림그래프로 나타내었습니다. ◎이 나타내는 수는 ○이 나타내는 수의 10배일 때 물음에 답하시오.

빚은 송편 수

이름	송편 수
준희	◎○○○○○○○
승범	◎◎○○○○○
지수	◎◎◎○○○○○○

빚은 송편 수

이름	송편 수
준희	◎△○○
승범	
지수	

6 준희가 빚은 송편은 17개입니다. 세 사람이 빚은 송편은 모두 몇 개인지 구해 보시오.

(   )

7 오른쪽 그림그래프를 완성해 보시오.

8 우주가 한 날짜별 줄넘기 횟수를 조사하여 표로 나타내었습니다. 9일에 한 줄넘기 횟수는 7일에 한 줄넘기 횟수의 2배보다 20회 더 많고, 8일에 한 줄넘기 횟수는 9일에 한 줄넘기 횟수의 $\frac{1}{2}$이라고 합니다. 표를 완성해 보시오.

날짜별 줄넘기 횟수

날짜	7일	8일	9일	10일	합계
줄넘기 횟수(회)	160			250	

9 성호네 모둠 학생들이 3월과 4월에 모은 빈 병 수를 조사하여 그림그래프로 나타내었습니다. 3월보다 4월에 모은 빈 병 수가 가장 많이 늘어난 사람은 누구이고, 몇 개 늘어났는지 구해 보시오.

3월에 모은 빈 병 수

이름	빈 병 수
성호	
수진	
선영	

4월에 모은 빈 병 수

이름	빈 병 수
성호	
수진	
선영	

10개 1개   10개 1개

(,)

10 학생 900명의 혈액형을 조사하여 그림그래프로 나타내었습니다. B형인 학생 수는 O형인 학생 수보다 90명 더 적고, AB형인 학생 수보다 70명 더 많다고 합니다. AB형인 학생은 몇 명인지 구해 보시오.

학생들의 혈액형

혈액형	A형	B형	O형	AB형
학생 수				

100명
10명

( )

★빠른 정답 9쪽, 정답과 풀이 54쪽 Top Book 110~111쪽의 복습 문제입니다.

창의융합형 문제

11 뮤지컬은 노래, 춤, 연기가 어우러지는 공연 예술입니다. 어느 공연장에서 펼쳐진 뮤지컬 맨 오브 라만차의 좌석 등급별 입장객 수를 조사하여 그림그래프로 나타내었습니다. A석의 입장객 수는 R석의 입장객 수의 2배이고, 네 좌석 등급의 입장객 수는 모두 930명입니다. A석의 입장객 수는 몇 명인지 구해 보시오.

좌석 등급별 입장객 수

좌석 등급	입장객 수
VIP	
R	
S	
A	

😊100명 🙂10명

(   )

창의융합 PLUS +

○ **맨 오브 라만차**
맨 오브 라만차는 미구엘 세르반테스의 소설 '돈키호테'를 각색한 뮤지컬입니다. 1965년 브로드웨이에서 초연하여 50여 년의 오랜 역사를 가지며, 지금도 관객들에게 사랑받고 있습니다.

┌─ 화살을 쏘는 지점

12 국궁은 서 있는 자세로 사대로부터 145 m 지점에 세워진 과녁을 향해 화살을 쏘아 과녁을 맞힌 수로 점수를 겨루는 경기입니다. 은경이와 친구들이 과녁에 화살을 각각 20개씩 쏘아서 과녁을 맞힌 화살의 수를 조사하여 그림그래프로 나타내었습니다. 과녁에 화살을 맞힐 때마다 10점씩 얻고, 맞히지 못할 때마다 5점씩 잃습니다. 점수가 가장 높은 학생의 점수는 몇 점인지 구해 보시오.

학생들이 맞힌 화살의 수

이름	은경	지혜	우진	민석	
맞힌 화살의 수	✦✦✦/	✦////	✦✦////	✦////	5개 ╱ 1개

(   )

○ **국궁**
국궁은 우리나라 고유의 활쏘기 운동으로 약 2000년의 역사를 가지고 있습니다. 주로 노년층에서 많이 해 왔으나 양궁의 보급과 더불어 현재는 청소년들에게도 정서를 위한 레저스포츠로 각광받고 있습니다.

최상위권 문제

1 소희네 반과 지수네 반 학생들이 좋아하는 과목을 조사하여 표로 나타내었습니다. 두 반의 학생은 모두 60명입니다. 표에서 알 수 있는 내용을 모두 찾아 기호를 써 보시오.

학생들이 좋아하는 과목

과목	음악	체육	수학	영어	합계
소희네 반 학생 수(명)	8		7	5	
지수네 반 학생 수(명)	9	6	5		28

ㄱ 소희네 반 학생들이 가장 좋아하는 과목은 체육입니다.
ㄴ 지수네 반 학생들이 두 번째로 좋아하는 과목은 음악입니다.
ㄷ 두 반에서 좋아하는 학생이 많은 과목부터 순서대로 쓰면 수학, 영어, 음악, 체육입니다.
ㄹ 두 반에서 가장 많은 학생이 좋아하는 과목과 가장 적은 학생이 좋아하는 과목의 학생 수의 차는 6명입니다.

( )

2 준서가 만든 종류별 쿠키 수를 조사하여 그림그래프로 나타내었습니다. 가장 많이 만든 쿠키와 가장 적게 만든 쿠키의 수의 차는 15개입니다. 준서가 만든 쿠키의 수가 가장 적을 때 만든 쿠키는 모두 몇 개인지 구해 보시오.

( )

만든 쿠키 수

종류	쿠키 수
초코칩	🍪🍪🍪🍪🍪
땅콩	🍪🍪🍪
오트밀	🍪🍪🍪🍪🍪
녹차	

🍪 10개
🍪 1개

3 어느 동네의 가게별 라면 판매량을 조사하여 그림그래프로 나타내었습니다. 다 가게에서 팔린 라면이 150그릇일 때, 네 가게에서 팔린 라면은 모두 몇 그릇인지 구해 보시오.

( )

가게별 라면 판매량

가게	판매량
가	🍜🍜🍜🍜🍜🍜
나	🍜🍜🍜🍜🍜🍜
다	🍜🍜🍜
라	🍜🍜🍜🍜🍜🍜🍜

4 연태가 모은 나라별 우표 수를 그림그래프로 나타내었습니다. 일본 우표 수는 프랑스와 미국 우표 수의 합의 $\dfrac{2}{5}$입니다. 우표를 많이 모은 나라부터 순서대로 써 보시오.

(   )

나라별 우표 수

나라	우표 수
프랑스	◎ ◎ ◎ ○ ○
일본	
미국	◎ ◎ △ ○ ○ ○

◎ 10장
△ 5장
○ 1장

5 과수원별 사과 생산량을 조사하였습니다. 조사한 내용을 보고 그림그래프를 완성해 보시오.

• 다 과수원의 사과 생산량은 가 과수원과 라 과수원의 사과 생산량의 합과 같습니다.
• 네 과수원의 사과 생산량의 합은 1160상자입니다.

과수원별 사과 생산량

과수원	사과 생산량
가	
나	◎ ◎ ◎ ○ ○ ○ ○
다	
라	◎ ○ ○ ○ ○ ○ ○ ○

◎ 100상자
○ 10상자

6 혜수네 학교 학생 174명이 사는 마을을 조사하여 나타낸 그림그래프에 아름 마을과 다정 마을이 빠졌습니다. 아름 마을에 사는 학생 수는 다정 마을에 사는 학생 수의 $\dfrac{1}{3}$이라고 합니다. 약도를 보고 강을 건너야 학교에 갈 수 있는 학생은 몇 명인지 구해 보시오.

마을별 학생 수

마을	학생 수
장수	😊 😊 😊 🙂 🙂 🙂
은혜	😊 😊 😊 🙂 🙂
서경	😊 😊 🙂 🙂 🙂 🙂 🙂

😊 10명
🙂 1명

(   )

Memo